T3-BOF-780

COMME UNE FEUILLE DE THÉ À SHIKOKU

Marie-Édith Laval est née en 1979. Après des études de lettres, elle s'est orientée vers l'orthophonie, la sophrologie et la méditation de pleine conscience pour les enfants et les adolescents. Curieuse infatigable, imprégnée de récits de grands écrivains voyageurs, elle nourrit une passion pour le voyage et la marche en tant que découverte de l'ailleurs, mouvement vers l'altérité et cheminement spirituel. *Comme une feuille de thé à Shikoku* est son premier livre.

MARIE-ÉDITH LAVAL

Comme une feuille de thé à Shikoku

Sur les chemins sacrés du Japon

Préface de Bernard Ollivier

LE PASSEUR ÉDITEUR

Pour suivre l'auteur :

Comme une feuille de thé à Shikoku
www.feuilledetheashikoku.com
feuilledetheashikoku@gmail.com

ISBN : 978-2-253-18585-7 – 1re publication LGF

À la Vie et au miracle d'être vivante.
À mes parents, passeurs de vie.

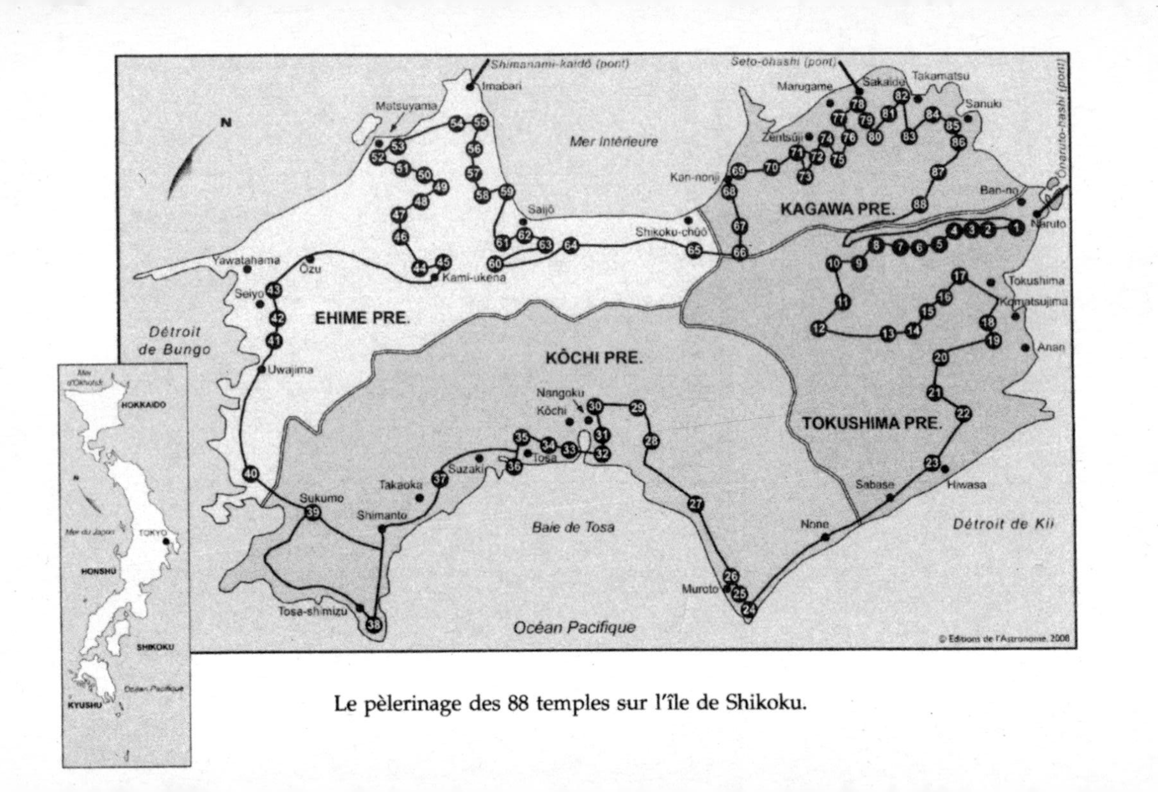

Le pèlerinage des 88 temples sur l'île de Shikoku.

Préface
de Bernard Ollivier

Au retour de son long voyage japonais, Marie-Édith Laval a fait le constat magnifique qu'il avait eu pour conséquence de « faire descendre la tête dans le cœur ». En tournant la dernière page de son récit, nul ne peut douter qu'elle y soit parvenue.

Après 1600 kilomètres parcourus pas à pas sur le chemin de Compostelle du Puy-en-Velay à Santiago, elle en était revenue encore plus gourmande de chemins creux, de levers de soleil, de cette délicieuse fatigue de la marche que ne connaîtront jamais les sédentaires. Alors, elle est repartie, loin, pour un autre pèlerinage, un autre monde, d'autres horizons, d'autres rencontres. Rupture de cinquante jours aux antipodes. Avec, sans doute, une petite appréhension devant l'inconnu. La recherche de soi exige du courage. Il faut oser partir, s'arracher au quotidien, prendre le pouvoir sur l'agenda, affronter l'ailleurs, la solitude. Nous nous construisons sur nos peurs maîtrisées et nos habitudes bousculées.

Au premier jour de son circuit des 88 temples de Shikoku au Japon, Marie-Édith a perdu la clé de son appartement. Superbe acte manqué ! Une manière de couper les amarres. Au dernier jour, après 1200 kilomètres sur ses deux jambes, précédant de peu son sac à dos, elle a rapporté la joie et trouvé une autre clé qui lui a ouvert en grand la serrure de son âme et la porte d'une autre vie.

Perdre ou jeter sa clé. C'est bien ainsi qu'il faut appréhender la marche au long cours. Un effacement du monde ordinaire et cloîtré, une re-naissance, l'immersion dans un présent si fort qu'il vous prend tout entier. Elle le dit et le répète cent fois : elle est et veut être « ici et maintenant ». Chaque jour, après des marches parfois harassantes, il faut atteindre le dernier temple de la journée, perché là-haut dans les nuages. Une montée au ciel à répétition.

Contrairement aux foules qui se précipitent vers Compostelle, il n'y a pas beaucoup de monde sur le chemin de Shikoku mais les rencontres, pour être plus rares, y sont peut-être plus intenses. Sur le *Camino*, l'accueil est parfois contraint, faute de place. Là-bas, l'hospitalité raffinée est faite de mille attentions, ponctuée de rires. À travers ces rencontres, une autre vision de l'existence. Elle croise le chemin de Tsui-Dje, une marcheuse animiste qui révère tout, les plantes, les rochers, les montagnes, les fleuves, chaque animal. Et la très occidentale Marie-Édith, émerveillée de tant de complicité au monde, n'est pas loin de se convertir à cette communion avec les choses et les êtres. Qu'importent même les serpents qui traversent son chemin, elle aime tout, se sent « intensément vivante ».

N'allez pas croire que Marie-Édith est une marcheuse exceptionnelle. Comme tout un chacun, ses premiers pas sont douloureux. Elle souffre d'une sciatique, du décalage horaire, d'orages violents, prend garde à ne pas se faire écharper par les camions qui se ruent sur la route, passe en apnée des zones industrielles. Bonheur contre douleur, c'est le premier qui l'emporte. Elle va son chemin. Un chemin en rond puisque, après le 88e temple, elle retrouvera le premier. Et de s'interroger sur ce cercle qui représente l'infini, la perfection, l'absolu, le divin. « Serait-ce parfois en tournant en rond que l'on avancerait le plus ? » Ceux qui ont pour la première fois imaginé la construction d'un cloître ont dû y penser.

Le pèlerinage de Shikoku, balisé par une main rassurante qui indique la voie, est un vrai parcours initiatique, rythmé par ses 88 temples, une sorte d'escalier vers la perfection. Il faut s'incliner devant les 23 premiers pour accéder à l'Éveil et devant les 16 suivants pour parvenir à l'Ascèse. Pour l'Illumination, il faut humblement franchir le seuil des 26 sanctuaires suivants. Le Nirvana, enfin, viendra avec les 23 dernières étapes. Et pour notre aventurière, ce Nirvana ne sera pas seulement sa clé qu'elle retrouve mais le bonheur qu'elle a glané au jour le jour, pas à pas, jusqu'à la dernière étape (qui fut la première).

Marie-Édith a intégré tous les sortilèges de la marche solitaire. Et c'est sans doute ce qui me touche le plus dans son récit. Pas seulement parce qu'elle a eu l'audace de partir seule, ce que bien peu osent faire, par addiction au confort et obsession de la sécurité. La marche n'est pas qu'une affaire de jambes et de souffle, elle est une affaire de tripes. Mais le récit est aussi touchant parce que son bonheur est communicatif. « J'ai dansé avec la Vie. » Elle se livre, n'hésite pas à dire ses coups de fatigue ou de cœur. Les hommes qui marchent comptent en kilomètres. Marie-Édith compte en émotions, en rencontres, en découvertes, en étonnements, en plaisirs. Ce qui rend son récit si émouvant parfois.

Combien de temps, au retour, ce trop-plein de joie résistera-t-il aux vicissitudes de la vie qu'on dit « moderne » ? Fort longtemps sans doute, toujours peut-être. Car la voyageuse n'a pas seulement découvert la félicité d'un temple à l'autre. Elle a trouvé le chemin pour y parvenir. « Le Paradis, je le cherchais partout avec zèle et sans relâche, sauf là où il était déjà. » Un marcheur qui part est un fuyard. Un marcheur qui revient est un philosophe. Et Marie-Édith devient philosophe, elle qui avait déjà une grande culture. Son récit est ponctué de réminiscences qui démontrent ses nombreuses lectures en matière de littérature de voyage, mais pas seulement ; les maîtres, Jacques Lacarrière, Nicolas Bouvier, Ella Maillart, mais aussi Saint-Exupéry, saint Paul, le Dalaï Lama auxquels s'ajoutent les poètes. Car comment pourrait-elle oublier Rimbaud, René Char et Paul Éluard, tant la marche est poésie, rythmée par chaque pas sur le sol ?

La randonnée au long cours est une activité plus spirituelle que sportive. Elle est aussi facteur de résilience. En 2012, pendant huit jours à l'approche de Noël, Marie-Édith a accompagné Fabien, un jeune emmené par Seuil[1] en Espagne pour se reconstruire par la marche, assisté par un accompagnant, Julien. Seuil, pour des gamins déboussolés, est à notre société ce que le seuil des temples est sur les chemins de Shikoku ; en deçà, le profane, au-delà, le sacré. Il faut passer ce « seuil » pour prendre place dans l'assemblée des hommes.

Il me vient, à évoquer ce récit de voyage, une furieuse envie de l'imiter. Quoi, un chemin de bonheur que je n'ai pas emprunté ? Si, comme moi, l'idée vous prend, en lisant ces pages, de laisser l'empreinte de vos chaussures sur ce parcours des 88 temples, il vous faut y aller bien vite avant que les foules européennes ne s'y précipitent et ne fassent de ce sentier si délicieusement désert une autoroute à touristes. Il y a urgence.

Pour ceux qui iront trop tard ou préféreront le voyage immobile, ils pourront toujours en respirer le parfum en suivant Marie-Édith.

1. Site Internet : www.assoseuil.org.

PRÉLUDE AU DÉPART

La clé des champs

> Allons, chapeau, capote, les deux
> poings dans les poches et sortons.
> Arthur RIMBAUD

« Il n'y a pas de hasard, il n'y a que des rendez-vous », disait Paul Éluard. Et la vie m'a offert un bien beau rendez-vous !

En août 2012, sur le chemin de Saint-Jacques-de-Compostelle en Espagne, quelques kilomètres avant la ville de Melide, une rencontre « hasardeuse » avec un pèlerin japonais devait me conduire à parcourir l'été suivant en solitaire, sac au dos, les 1200 kilomètres du pèlerinage de Shikoku, sur les pas d'un certain Kûkai dont l'existence même m'était alors absolument inconnue. D'un chemin à un autre, d'un continent à un autre, il n'y a parfois qu'un embranchement au détour d'une discussion fructueuse joyeusement partagée au rythme de la marche. Celle de ce jour-là allait m'amener à la découverte d'un chemin de pèlerinage bouddhiste faisant le tour de la plus petite des quatre grandes îles de l'archipel japonais, du nom de Shikoku. Ce que m'en fit alors partager mon furtif compagnon de marche (que ce « passeur » soit ici vivement remercié !) éveilla tout mon intérêt et je me promis, dès mon retour en terres parisiennes, d'approfondir le sujet.

Après avoir parcouru à pied les 1 600 kilomètres du chemin de Compostelle reliant Le Puy-en-Velay au cap Finisterre – ce cap de Galice prolongeant le chemin jusqu'à « la fin des terres », au bord de l'Atlantique – et être revenue en France en bateau, le chemin après le chemin ne fut pas chose aisée. Les retours de voyage ont toujours eu pour moi un goût amer. À peine rentrée, il me fallait rêver, une mappemonde sous mes yeux avides, et m'enivrer avec zèle de récits d'ailleurs et de noms enchanteurs. En prise avec la lassitude d'un corps engourdi, emmuré dans une réalité sédentaire, à l'étroit dans un quotidien exigu, dans un ensommeillement désaccordé par rapport à la délicieuse plénitude de l'instant tant savourée sur le chemin de Compostelle, l'appel de la lointaine Shikoku refit surface avec une force impérieuse. Une attraction aussi irrésistible qu'irrationnelle jaillit des profondeurs de mon être, comme une injonction intime. Devant l'écran de mon ordinateur, une certitude intérieure s'imposa majestueusement : l'été prochain, j'irai à Shikoku !

L'appel à cheminer sur un nouveau terrain était lancé. Une fantastique aventure au pays du Soleil levant et, bien plus loin encore, m'attendait. Et c'est ainsi que, le 30 juin 2013, je pris mon départ pour cette épopée, dans une « attitude de réceptivité » telle que Pierre Rabhi l'a si joliment définie, prête à « accueillir les dons et les beautés de la vie avec humilité, gratitude et jubilation ». Telle une devise sur la bannière de mon cœur, un mantra dans les profondeurs de mon être. Si je ne partais pas en quête de sens à l'image des chevaliers de la Table ronde à la recherche du Graal, un sens s'est pourtant bien imposé de lui-même au long de cette réalité vécue.

« La vie vous procure exactement l'expérience dont vous avez le plus besoin pour que votre conscience évolue[1]. » Ces paroles d'Eckhart Tolle prennent ici tout leur sens. Comme si un faisceau de signes convergeant en un même endroit m'invitait à m'abandonner avec délice sur ce chemin, à y user mes semelles en même temps qu'à y voir naître en moi un surcroît de conscience, une présence densifiée et une nouvelle manière d'être au monde.

J'ai, de longue date, été subjuguée par de grandes figures d'aventuriers d'hier et d'aujourd'hui dont les récits, que j'ai dévorés avec boulimie, établissaient une vivante correspondance avec ma tentation lancinante et permanente de faire de ma vie un voyage ininterrompu. « La réalité géographique de la Terre m'obsède. Je sens autour de moi la vie des latitudes, dotées chacune de sa couleur spéciale. Pas une de mes pensées qui ne soit en quelque sorte orientée vers l'un des points cardinaux. Je suis prise

---

1. Eckhart Tolle, *Le Pouvoir du moment présent*, Ariane, 2000.

à jamais dans les lignes de force de l'aiguille aimantée[1]. » Ces mots d'Ella Maillart résonnent profondément en moi.

Sur les étagères de ma bibliothèque se côtoient mes maîtres en évasion : Alexandra David-Néel, Nicolas Bouvier, Victor Segalen, Romain Gary, Bruce Chatwin, Bernard Ollivier, Sylvain Tesson et tant d'autres encore. Il est des destins qui me font rêver…

Ces compagnons d'échappée belle me murmurent qu'il est possible de sauver le quotidien de l'inanité et d'un sentiment d'incomplétude, de s'échapper d'une existence qui s'enlise, se languit de plénitude et tourne facilement en rond, de fuir la lassitude et la sensation de devenir étranger à son ordinaire, esclave de la routine. « S'armer du bâton et de la besace symbolique et s'en aller ! Pour qui connaît la valeur et aussi la délectable saveur de la solitaire liberté, l'acte de s'en aller est le plus beau et le plus courageux. Égoïste bonheur, peut-être, mais c'est le bonheur pour qui sait le goûter. Être seul, être pauvre de besoins et ignoré, étranger et chez soi partout et marcher solitaire et grand à la conquête du monde[2] ! »

Asphyxié par l'habitude et manquant cruellement d'oxygène dans un univers mis sous clé et

1. Ella Maillart, *Des monts Célestes aux Sables rouges*, Payot, 2001.
2. Isabelle Eberhardt, *Écrits sur le sable*, Grasset, 1989.

sous scellés, n'avez-vous jamais éprouvé, vous aussi, l'envie irrépressible d'ouvrir grand les portes, les battants des fenêtres, les soupiraux insidieux, les vasistas sournois et les hublots étriqués de nos lunettes pour délivrer votre poitrine oppressée ?

Ne vous êtes-vous jamais identifié à la désuétude de ces splendides papillons, gracieuses et majestueuses créatures mises sous verre, privées d'envol et de voyage céleste par leurs ailes épinglées, sommées par la banalité de la vie courante de rendre leurs attributs d'anges ?

Ne vous êtes-vous jamais perçu telle une branche élaguée de son arbre, coupée de la sève de la Vie ?

Qui ne s'est jamais projeté dans un avenir illusoire, un ailleurs utopique, un autrement chimérique, une existence au conditionnel où tout serait tellement plus heureux, plus vivant, plus entier, plus épanouissant une fois mille et une conditions réalisées (quand j'aurai ceci, quand je disposerai de cela, quand je serai libre de telle ou telle obligation, etc.) ?

Malaises, tensions, cri perçant d'une partie amputée de l'être dans un quotidien boiteux.

Cela vous émeut et vous indigne également, au moins de temps en temps, n'est-ce pas ?

Dans la léthargie de l'enchaînement des jours dans un sur-place, cet appel lancinant du voyage, cette « terrible démangeaison d'inconnu[1] » ressentie par

---

1. Paul Gauguin, *Lettres à sa femme et à ses amis*, Grasset, 2003.

Gauguin habite de longue date toutes mes cellules et fait office de gouvernail, de cap vers l'ailleurs, les noms du lointain claquant comme des oriflammes au vent du large !

Que demain, je continue l'aujourd'hui, et qu'aujourd'hui, je continue l'hier soit le mantra qui constitue la tiède substance de mes jours ? C'est non et trois fois non, comme un cri surgi de mes profondeurs ! La Vie ne peut pas rêver cela pour moi. Je refuse d'être la grande absente de mes heures, de me contenter d'instants insipides, de traverser cette existence en restant à sa surface, sans être ardemment vivante, sans me vivre pleinement !

Aller voir plus loin, plonger vers l'ailleurs, peut-être est-ce dans ce lointain que se trouve l'ancre de mon existence et les réponses à toutes les faims inassouvies que je sens confusément en moi.

Oui, je ressens vigoureusement ce besoin impérieux d'échapper à un enfermement. Une injonction intime et frémissante m'encourage ô combien fréquemment à me mettre en route, à fuir la banalité, comme une résonance à l'invitation divine faite à Abraham de rejoindre la Terre promise : « Va, quitte ton pays, va vers le pays que je te montrerai », autrement dit « va vers toi-même, va vers la terre de tes propres profondeurs, va vers l'intimité de ton être ».

Nourrie d'images et des récits de ces illustres écrivains voyageurs faisant vibrer les tréfonds de mon être et naître en moi les rêves d'ailleurs, transformant mon puissant désir d'arpenter le monde en leitmotiv de mon existence, je suis partie, ignorant à peu près tout du pays du Soleil levant, de ses usages et de sa fascinante civilisation singulière et complexe. S'évader, s'échapper, découvrir d'autres territoires par la lecture, c'est bien, mais j'ai envie d'aller voir !

Je n'ai pas fait grand cas de préparatifs minutieux, préférant me laisser surprendre par les promesses frémissantes de ces rivages inconnus, me laisser façonner par ce qui m'attendrait, à l'image d'une terre glaise à modeler. Bien convaincue que « les chemins nous inventent » et qu'« il faut laisser vivre les pas[1] ».

Je n'ai pas voulu planifier, intellectualiser mon expérience à venir, me créer du cérébralement connu rassurant, me charger du bagage d'un savoir, préférant rester au plus près de la fraîcheur naïve et innocente du regard de l'enfant, sans a priori, dépourvu de croyances et de certitudes, assoiffé de découvertes, dans la pleine réceptivité face au neuf. Je n'aime rien autant que le nouveau. Intense curiosité, désirs, espoirs, fantaisie de l'imagination créatrice… Mon esprit chérit l'inconnu. Dans la pleine disponibilité face aux phénomènes ignorés et inédits de cette société japonaise et à ses codes indéchiffrables qui ne manqueraient pas de perturber d'emblée mes sens et habitudes d'Occidentale, je suis donc partie sans attente ni projection. J'ai laissé

1. Philippe Delerm, *Les chemins nous inventent*, Stock, 1997.

de côté images et autres concepts, dans un état de « grande vacance » où rien n'est ni programmé ni prémédité, suivant l'invitation de Christian Bobin : « Savoir qu'on est vivant est tout savoir. Il n'y a plus qu'à trouver dans cette vie que le "oui" qui définitivement l'enflamme. J'ai accroché mon cerveau au porte-manteau puis je suis sorti et j'ai fait la promenade parfaite[1]. »

Toutefois, les quelques mois précédant mon aventure japonaise furent jalonnés de ce que j'interprète volontiers comme des petits signes du destin, autant d'étoiles m'indiquant la voie à suivre et balisant ma route – telles les flèches jaunes du *Camino francés* en Espagne. Telle une conspiration de petits « hasards » pleinement habités par cette lointaine destination d'Orient, une corne d'abondance dans laquelle tout s'imbriquait savamment. Tous mes pas semblaient en effet étrangement guidés vers le chemin des 88 temples qui s'ouvrait devant moi à bras grands ouverts avec une facilité déconcertante. Certes, l'esprit humain est avide de signes qui font sens, je sais bien, mais quand même… Comme si le chemin était avide d'être parcouru. Des combinaisons « chanceuses », des cadeaux inouïs, des synchronicités troublantes se présentaient avant même le premier pas sur ce chemin, dans lesquels s'unissaient les kilomètres à venir et l'instant présent.

1. Christian Bobin, *Un assassin blanc comme neige*, Gallimard, 2011.

Les portes se sont ouvertes facilement, les contacts se sont créés simplement, les événements se sont organisés aisément, dans un agencement parfait. Comme si tout se mettait en place naturellement sans que j'aie grand-chose à faire. Comme si tout complotait à établir les conditions optimales à la réalisation idéale d'une expérience riche en sens. Serions-nous guidés dans le monde visible par d'invisibles flèches, mus par d'imperceptibles fils nous invitant à emprunter une trajectoire aux contours déjà dessinés ?

J'ai, par exemple, eu le grand plaisir de faire la connaissance de Léo Gantelet, ancien pèlerin de Compostelle et de Shikoku qui a, entre autres, publié les récits de ses pèlerinages et qui, curieusement, réside dans le même village de Haute-Savoie qu'une de mes grandes amies. En tout cas, notre rencontre et nos échanges m'ont enthousiasmée et permis d'accéder à la réalité de ce coin d'Extrême-Orient et d'approcher l'esprit de ce pèlerinage.

Autre événement heureux : les errances de ma mère, deux mois avant mon envol, sur un sentier de traverse, un jour d'égarement sur le chemin de Compostelle qu'elle arpentait, la guidèrent mystérieusement vers un autocollant trônant sur un panneau indicateur. Du rouge, du blanc, une silhouette stylisée de pèlerin de Shikoku attira son attention, et mon premier contact nippon devait en découler. Cet autocollant avait en effet été placé là, dans ce tout petit hameau du fin fond de la France, par une association de pèlerins de Shikoku passionnée également par le chemin de Compostelle, la NPO (Network for Shikoku Henro Pilgrimage and Hospitality), qui allait, au final, m'accueillir lors de mon arrivée et jouer un rôle non négligeable dans l'aventure singulière qui m'attendait sur les rivages nippons. Patience, patience, vous saurez bientôt !

Nos existences me semblent parfois aiguillées par des arcanes insondables, à l'image d'une partition qui s'anime, prend vie et sens sous l'effet des gestes justes et majestueux d'un grand chef d'orchestre à l'œuvre.

La légèreté a guidé la constitution de mon paquetage : ni tente ni matériel de bivouac, mon équipement vestimentaire réduit au minimum. Convaincue que le lâcher-prise est mental avant d'être matériel, le désencombrement psychique avant d'être concret, j'ai pris soin de me délester de tous les « au cas où », toutes ces surcharges inutiles susceptibles d'alourdir mon sac et de peser sur ma progression, dans les deux sens du terme. Le dépouillement en guise de premier pas sur le chemin. Je repense au pèlerin russe qui nous décrit son chargement en ces termes : « Pour avoir, j'ai sur le dos un sac avec du pain sec, dans ma blouse la sainte Bible et c'est tout[1]. » De même, traditionnellement, les pèlerins de Compostelle partaient avec pour seul bagage une besace, une calebasse et un bourdon. Je n'en suis

1. Anonyme, *Récits d'un pèlerin russe*, Seuil, 1999.

pas encore là, je l'avoue humblement. Mais j'y travaille sérieusement !

L'accélération frénétique et l'emballement qui ont précédé mon départ ont comme un air d'inventaire à la Prévert. Sur ma liste de choses hétéroclites et disparates à faire avant de partir : m'atteler aux tâches administratives et matérielles à mener à bien pour un retour serein de ce point de vue-là, imprimer une traduction en français du Sutra du Cœur[1], recruter une nouvelle collaboratrice pour la rentrée de septembre, changer le joint du robinet de la cuisine qui fuit, mettre à jour tout ce qui était en attente de l'être, vider la salle de bains afin de laisser place libre pour les travaux qui auront lieu durant mon absence, finaliser mes dossiers professionnels, numériser mes papiers d'identité et me les envoyer par mail, acheter de la crème solaire, organiser mes rendez-vous de rentrée, confier les plantes à ma gardienne, lui laisser un double de clés, confirmer mon heure d'arrivée à l'association de pèlerins qui m'attendra à la station de bus à Shikoku, programmer les virements des factures à venir pendant mon absence, changer les piles de ma lampe frontale, me familiariser avec les réglages de mon appareil photo tout-nouveau-tout-beau, suspendre mon abonnement à *Elle* pour l'été, configurer un système de réponse automatique pour mes mails professionnels, renouveler mes lentilles

---

1. Le texte de cette prière figure dans l'annexe « Shikoku pratique ».

de contact, changer le message de mon répondeur, prévoir les cadeaux d'anniversaire de mes neveux et nièces nés durant la période estivale, vider le réfrigérateur et dégivrer le bac congélation, faire traduire les noms d'arrêt des stations de la ligne de bus menant d'Osaka à l'arrêt de Takamatsu à Shikoku, aller chez le coiffeur, noter les numéros de téléphone d'urgence (consulat, opposition cartes bancaires), changer des euros en yens, investir dans un nouveau tee-shirt à manches courtes fin et léger, organiser une petite fête de départ, installer l'application Skype sur mon I-Phone, acheter une bonne bouteille de vin pour apporter à mon hôte nippon du premier soir, trouver le livre à emporter comme compagnon de route (pour ne pas faire durer un suspens que j'imagine des plus insoutenables, je vous confie déjà que j'ai finalement opté pour l'inspiré et inspirant *Marcher, méditer* de Michel Jourdan et Jacques Vigne[1]), prendre rendez-vous chez le dentiste, passer à la banque modifier ma capacité de retraits possibles à l'étranger, ne pas oublier de couper le robinet d'arrivée d'eau et l'électricité, me renseigner sur les tarifs de forfait de téléphone mobile au Japon… Bref, un tourbillon confus qui donne le tournis, une pelote sans fin à dérouler.

---

1. Michel Jourdan et Jacques Vigne, *Marcher, méditer*, Albin Michel, 1998.

PREMIÈRE PARTIE

LA CLÉ DE LA LIBERTÉ

Temples 1 à 23
Le chemin de l'Éveil, 発心

Awa
(actuelle province de Tokushima)

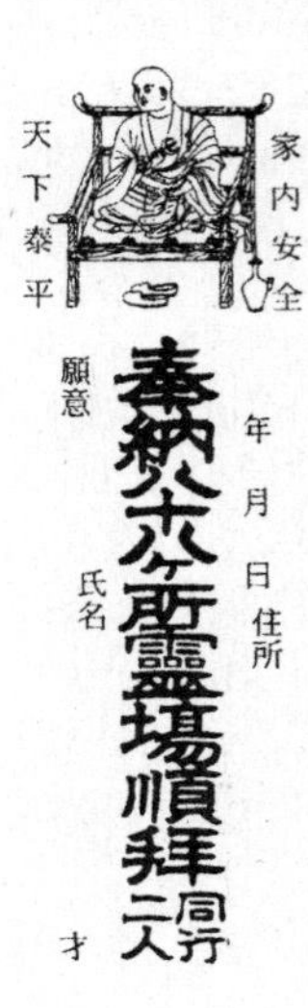

Il y a de ces voyages qu'on dirait faits pour illustrer la vie même et qui peuvent servir de symboles à l'existence.

Joseph CONRAD, *Jeunesse*

1

Au-delà du seuil

Pas de deux à la croisée de chemins, dont l'un est extérieur et l'autre va vers les profondeurs de l'être. Comme l'évoque Milan Kundera : « Il n'est rien de plus beau que l'instant qui précède le voyage, l'instant où l'horizon de demain vient nous rendre visite et nous dire ses promesses[1]. » Mais malgré un léger pressentiment, en ce 30 juin 2013, je suis bien loin de mesurer la portée décisive et féconde qu'aura ce pèlerinage sur le cours de ma vie. Je ne me doute pas encore que cette expérience sera le soutien d'une grande lame de fond qui continue puissamment, à l'heure actuelle, de nourrir chaque instant de ma vie quotidienne.

Grand ciel bleu sur Paris inondé d'un soleil magnifique dès les premières heures du jour. « En route ! Le ciel est bleu, le soleil brille, et nous sentons dans les pieds des envies de marcher sur l'herbe[2]. » Et me voilà à l'aube d'une nouvelle

1. Milan Kundera, *La vie est ailleurs*, Gallimard, 1976.

2. Gustave Flaubert, *Par les champs et par les grèves*, tome II, Gallimard (« Bibliothèque de la Pléiade »), 2013.

aventure, avec une sensation intérieure toute teintée d'excitation, d'ardente ferveur, de joyeuse insouciance, d'enthousiasme, de curiosité, de confiance et d'impatience face à l'inédit de cette expérience pour moi. Je laisse mon « ici » pour me plonger avec une délectation immense vers ce « là-bas » qui m'aimante, j'abandonne mon « maintenant » pour m'immerger vers ce « demain » qui me magnétise.

Et l'aventure commence au seuil même de ma porte, au lendemain d'une soirée d'adieux improvisée (thématique « saké n'un au revoir ») qui reste mémorable dans mes annales de l'amitié. Mes amis Hervé et Renaud, m'ayant gentiment proposé de m'accompagner à l'aéroport, se présentent à ma porte. La nuit a été courte, mes derniers préparatifs de sac m'ayant mobilisée jusqu'à fort tard ou fort tôt, c'est selon. Dans l'excitation et la frénésie du départ, je ferme machinalement ma porte d'entrée et je ne me préoccupe de ma clé qu'une fois installée dans la voiture. Seulement, voilà : impossible de la retrouver. Disparue, envolée, volatilisée, évaporée ! Demi-tour, en pensant que celle-ci a dû m'échapper par mégarde dans la cage d'escalier ou dans la rue. Mais non, malgré une recherche collective, nulle trace de clé. Je mets en avant, avec humour, l'opportunité inespérée d'alléger mon sac à dos d'au moins 30 grammes et reporte à mon retour cette histoire de clé qui, dans le fond, n'a pas grande importance – ma gardienne ayant un double. Mais c'était sans compter sur les facéties de la Vie… Car la Vie est joueuse ! L'année précédente, j'avais déjà mis la barre haut : j'étais partie sur le chemin de Compostelle en omettant curieusement de mettre ma carte bancaire dans mon sac. « À nos actes manqués », chante Jean-Jacques Goldman. La parole est à Freud !

En tout cas, à ce moment, j'y vis l'expression culminante et symbolique d'un largage des amarres en bonne et due forme, un besoin quasi vital de m'affranchir des attaches du quotidien dans un espace restreint et étriqué entre quatre murs, une aspiration à ouvrir grand la cage de mon habituel, de l'ensommeillement dans l'ordinaire de mes jours et de la pesanteur du quelconque. Plus d'attache, plus d'attachement, plus de résidence fixe. Chemin de terre, échappée belle ! Aspiration profonde à une liberté sans serrure. Pleinement libre de humer le parfum du monde. « Partez, partez, sans regarder qui vous regarde, sans nuls adieux tristes et doux, partez avec le seul amour en vous de l'étendue éclatante et hagarde[1] », enjoignait Verhaeren. « S'en aller ! S'en aller ! Parole de vivant[2] ! » s'exclamait Saint-John Perse. Oui, tourner les talons à ma zone de confort. Couper les entraves de mon quotidien et de mes habitudes. Faire fi du convenu et des codes du connu. M'émanciper des barrières édifiées par

1. Émile Verhaeren, « Le voyage », *Les Forces tumultueuses*, La Différence, 1994.

2. Saint-John Perse, *Vents*, Gallimard, 1968.

mes repères et ma sédentarité. M'évader de l'emprise des forces mortifères de l'habituel. Briser les digues d'un conformisme ambiant. Me réveiller de mon somnambulisme quotidien. M'engager entièrement dans une démarche de cohérence. Plonger dans un univers loin de ma structure usuelle. Vivre l'infini de tous les possibles. Place à un nouvel horizon ! Place à une liberté sans portes ni fenêtres ! Place au Vivant des jours !

Arrivée à l'aéroport. Regard en arrière. Un dernier signe de la main à mes chers compagnons amicaux. Rythme ralenti de l'attente où le temps décline doucement. Que j'aime cette ambiance où tous les chemins se croisent, où le bout du monde est si près, à portée d'aile ! Lieu où résonnent les au revoir et la joie des retrouvailles. Ceux qui partent, ceux qui restent, ceux qui reviennent. Sens et esprit en éveil face à cette immensité de l'univers qui n'a de cesse de m'émerveiller. Partir, quitter, se détacher, marcher, découvrir : autant de promesses de bonheur à venir !

Ces quelques lignes écrites à mon retour de Compostelle me reviennent en mémoire et accompagnent mon envol, prônant une soif inextinguible d'espace et d'ailleurs :

Chemin d'exil, terres d'accueil
Sentiers de glaise
Sonnant le glas de l'habituel
Échappée belle loin des routines de l'existence

Loin de l'enlisement
dans l'insignifiance du bourbier de l'ordinaire

Ailleurs
Respiration
Aspiration à l'infini
Suspension dans un entre-temps
Suture vers un autrement
Regard dans un entre-deux
En quête d'un centre de gravité

Chatoiement des virtualités infinies
La vie devant soi, la Vie en soi
L'illimité au cœur de l'être

Présence au monde
Plénitude de l'instant
Noces du fugitif et de l'éternité
Mariage de l'argile et du ciel
Célébration
Fenêtre ouverte
Allée de sens
Silence, écoute, vigilance,
frémissement d'une nature généreuse
Saveur de l'azur
Nuit, étoiles, soleil, aurore, étincelles de vie
Ivresse du Vivant

Gagner l'horizon pour se réaliser soi-même
Tracer l'azimut de sa vie
Cheminer au creux des profondeurs
Printemps de l'âme
Renouveau.

C'est donc avec la curiosité comme guide, l'inconnu comme maître, la confiance comme compagne et le cœur aventureux que se déroule mon vol jusqu'à l'aéroport du Kansai à Osaka.

2

Lumière d'Orient

1er juillet – Échappée belle

Ça y est, pas de doute, je suis au Japon ! Première rencontre avec le pays du Soleil levant. Atterrissage à l'aéroport d'Osaka, construit sur une île artificielle. Bout du monde à huit fuseaux horaires et dix mille kilomètres de Paris. Mes premiers pas sur le sol japonais sont empreints d'une limpidité et d'une fluidité qui me déconcertent moi-même. Je me sens dans mon élément, en osmose avec cet environnement. L'adaptation se fait tout en douceur. Cet univers m'apparaît étrangement familier. J'y goûte la délicieuse et curieuse sensation de déjà-vu et m'y sens immédiatement la bienvenue.

Aucune difficulté à prendre les renseignements nécessaires et à trouver le bus devant me conduire sur l'île de Shikoku, à l'arrêt de Takamatsu, précisément où est supposé me retrouver M. Matsuoka, directeur de la NPO, l'association locale de pèlerins avec laquelle j'ai pris contact avant mon départ. Première approche de la rigueur et de l'organisation de ce pays en découvrant la file bien ordonnée, attendant sagement de prendre place dans le bus.

Voilà qui n'est pas de mise dans un pays comme la France !

Décalage horaire oblige, j'essaie péniblement de garder les yeux ouverts tout au long du trajet pour éviter de manquer l'arrêt et m'imprégner de tous ces paysages nouveaux qui défilent sous mes yeux avides et émerveillés.

Direction à présent la sauvage et rurale Shikoku, la plus petite des quatre grandes îles de cet archipel de légendes, située au sud de la péninsule, entre la mer intérieure de Seto et le Pacifique. M'y attend son pèlerinage circulaire reliant 88 temples sur 1 200 kilomètres (1 400 si l'on tient compte des 20 temples supplémentaires). À travers les quatre provinces de cette île au relief accidenté (« *shi* » signifiant quatre et « *koku* » provinces), les pèlerins se déplacent d'un sanctuaire à l'autre pour accéder à l'Éveil, cet état dans lequel, pour les bouddhistes, l'esprit est unifié à l'univers. Voilà qui s'annonce prometteur !

Hormis un endormissement malvenu, impossible de louper la station où je suis attendue. Au Japon, la ponctualité et la précision temporelle étant des données essentielles érigées en principe, les transports sont réglés comme du papier à musique et il suffit de regarder sa montre pour être assuré de descendre au bon endroit. À 15 h 07 précises, strict respect de l'horaire annoncé : station de Takamatsu. Dans son costume gris élégant, M. Matsuoka n'affiche aucune émotion. Son visage demeure impassible et ses petits yeux brillants sont empreints d'une dignité inaltérable derrière ses lunettes. Harunori Shishido, son bras droit, se présente d'un abord plus avenant et souriant. Tous les deux ont les yeux rivés sur une photo qu'ils m'avaient demandé de leur faire parvenir pour me reconnaître. Toutefois, étant la seule Occidentale dans ce bus et l'une des rares à pérégriner à Shikoku, je pense que la photo n'était pas vraiment indispensable…

Accueil et présentations selon les usages formels locaux : échange de cartes de visite, inclination de la tête et du haut du corps comme une tige de riz mûr qui se courbe et ploie sous le vent. J'ai d'ailleurs entendu dire que plus la personne est pénétrée de sagesse, plus elle incline profondément la tête. Au contraire, un salut bâclé dénote un manque d'éducation et de savoir-vivre. Je m'applique donc à exécuter un salut le plus gracieux et révérencieux possible. Harunori faisant office de traducteur en anglais, nous voilà partis en voiture pour une destination que je ne saisis pas bien mais qui s'affine lorsque je comprends le mot « *hospital* » ! Interloquée, je cherche à en savoir plus. Harunori m'explique alors qu'ils souhaiteraient démontrer les bienfaits de la marche d'un point de vue physiologique et mesurer certains paramètres sanguins au début et à la fin de mon pèlerinage. N'ayant aucune envie de me faire piquer et ayant en tête de sordides histoires de trafic d'organes, je décline bien poliment. Eux n'insistent pas, voilà qui m'arrange bien.

À peine le pied posé au sol, je prends la direction d'un magasin où sont vendus les accessoires du pèlerin de Shikoku, nommé *henro**[1], qui n'ont pas changé depuis mille deux cents ans. Endosser les vêtements du *henro**, porteurs de toute une symbolique, c'est, pour le néophyte, revêtir la personnalité et l'engagement complet du pèlerin, pleinement corps et âme en chemin. J'ai fière allure avec ma veste blanche au dos de laquelle est écrit « *Namu Daishi Henjo Kongo* » (littéralement « Vive le Daishi, diamant qui illumine tout ») en l'honneur de Kûkai, mon chapeau conique chinois en osier sur lequel figurent des mantras en sanscrit pour m'apporter soutien et me protéger du soleil comme de la pluie, et mon *kongozue*, bâton du pèlerin en bois, recouvert au sommet d'une housse de tissu coloré et doré, et symbolisant Kûkai marchant à mes côtés, exactement comme le bourdon du pèlerin de Compostelle incarne saint Jacques ! Et en plus, grâce au *suzu*, cette clochette qui orne mon bâton et tinte au rythme de ma marche pour éloigner les bêtes sauvages et faire fuir les mauvais esprits, j'ai la délicieuse impression de faire chanter la terre. L'habit fait le pèlerin ! Et à Shikoku, c'est indispensable pour être reconnu comme *henro** sur la route et bénéficier d'une considération dont ne jouit pas le marcheur anonyme.

---

1. Les mots accompagnés d'un astérisque renvoient au glossaire qui figure dans l'annexe, en fin d'ouvrage.

Je me suis aussi équipée du *nôkyôchou**, le carnet à faire tamponner et calligraphier au bureau du calligraphe à chaque temple, à l'image de la crédenciale, passeport du pèlerin de Compostelle. Dans mon sac, également, des *fuda**[1], ces bandelettes de papier sur lesquelles je pourrai indiquer mon nom, mon âge, mon adresse, écrire mes vœux et les déposer à chaque temple ainsi que les offrir en guise de remerciement et de porte-bonheur à ceux qui me donneront une offrande ou me rendront un service. Et j'y ajoute des petites bougies blanches et des bâtonnets d'encens pour effectuer les rituels à chaque temple.

Me voilà donc parée des atours traditionnels du *henro**, fin prête à mettre mes pas dans ceux de Kûkai, ce moine bouddhiste né au VIIIe siècle à qui le peuple japonais voue toujours une profonde admiration. Kûkai, dont le titre posthume qu'il reçut de l'empereur Daigo est Kôbô Daishi, « le Grand Maître qui a répandu la Loi », a introduit au Japon le bouddhisme Shingon, l'école de la « Vraie Parole ». À travers l'enseignement du Bouddha, il proclame que tous les êtres humains peuvent atteindre l'Illumination dans cette vie. Décidément,

---

1. Un fuda est placé au début de chaque partie de cet ouvrage. De part et d'autre de la représentation traditionnelle de Kûkai, sont écrites les expressions « Paix sur la terre » et « Sécurité dans la maison ». En plus des caractères signifiant jour, mois, année, nom, prénom et adresse, on peut y lire aussi « Pèlerinage des 88 temples » et « Les deux vont ensemble ».

ce chemin d'Orient laisse présager de bien belles perspectives !

Dans la foulée, l'heure est venue d'apprendre les gestes de dévotion séculaires à effectuer invariablement à chaque temple. Avec M. Matsuoka et Harunori, nous nous rendons donc au temple le plus proche, le temple 86 du chemin de Shikoku, Shidoji, autrement dit « Remplir ses Vœux ». Voilà qui s'annonce prometteur pour cette grande répétition générale !

Tous deux me montrent et m'enseignent ces rituels ancestraux avec beaucoup de patience et de ferveur religieuse. Je m'applique à les accomplir mais mes gestes sont encore maladroits et hésitants. Qu'à cela ne tienne, j'ai un bon nombre de temples devant moi pour les fluidifier !

Voici la marche à suivre. À l'entrée de chaque temple, le *henro** salue en s'inclinant devant la grande porte principale, les mains jointes sur la poitrine. Les temples sont protégés par deux divinités protectrices menaçantes, sourcils froncés, dents provocantes et expressions effrayantes, dressées de chaque côté de la grande porte principale. En général, elles brandissent dans leur main glaive, corde ou autres armes de combat orientées dans toutes les directions cardinales. Puis, le pèlerin se dirige vers la fontaine qui a souvent une tête de dragon, où l'attendent des petites casseroles en forme de louches pourvues d'un long manche en bois avec lesquelles il puise de l'eau, la verse d'abord sur la main gauche puis droite et se rince la bouche avant de s'essuyer sur les serviettes blanches disposées à côté. Autant de rites de purification.

Ensuite, le pèlerin fait sonner le gong, si le voisinage le permet. Il se dirige vers le *hondo**, le sanctuaire principal dédié à Bouddha dont la direction est indiquée par un petit personnage en carton souriant, semblant tout droit sorti d'un dessin animé. Le pèlerin allume ensuite une bougie blanche qu'il dépose à l'abri du vent sous une verrière et, à partir de cette flamme, allume trois bâtons d'encens – l'un symbolisant le passé, l'autre le présent et le troisième l'avenir – qu'il plante dans le sable d'une vaste vasque prévue à cet effet. Puis il monte les quelques marches du *hondo**, actionne une corde pour faire retentir une cloche ou un grelot en fonction des sanctuaires, fait une offrande de quelques pièces de monnaie dans un grand tronc en bois, dépose dans une boîte métallique un *fuda** avant de joindre les mains autour de son chapelet bouddhiste, de réciter à haute voix le Sutra du Cœur et de psalmodier d'autres mantras spécifiques à la divinité qui reçoit un culte particulier en ce lieu.

À nouveau guidé par un personnage cartonné qui indique la direction à suivre, le pèlerin se rend au *daishido** où il réitère les mêmes gestes, en direction de Kûkai cette fois-ci : la bougie, les bâtons d'encens, la montée des marches, la cloche, l'offrande, le *fuda** et le texte canonique du Sutra du Cœur. Enfin, moyennant 300 yens, il va faire tamponner et calligraphier son *nôkyôchou** au bureau du calligraphe, qui le rend avec un *o-sugata*, petite feuille blanche représentant le *honzon* du temple, c'est-à-dire la divinité Shingon vénérée précisément dans ce sanctuaire, en plus de la dévotion propre à Kûkai, à glisser dans le carnet.

En partant, à la sortie du temple, le pèlerin se retourne et s'incline, mains jointes, en remerciant.

La soirée se poursuit sur la nouveauté. Fin de journée riche en autres grandes premières ! Premier repas japonais, au Japon tout du moins. Et premier bain dans un *o-furo**, la salle de bains traditionnelle dont voilà le décor : à côté de la baignoire, un tabouret très bas est placé devant une poire de douche pour que le baigneur puisse se laver, se savonner et se rincer, avant de s'immerger, se détendre et se relaxer dans l'eau extrêmement chaude (doux euphémisme !) de la grande et profonde baignoire voisine. Je ne le sais pas encore mais je l'apprendrai à mon insu : l'eau du *o-furo** doit être conservée, recouverte par une ou plusieurs plaques en bois ou en plastique pour en maintenir la température et être ainsi utilisée par toute la maisonnée.

Autre première : la nuit sur un futon à même le sol de tatamis en paille de riz tressée dans une pièce à multi-usages comme c'est de mise au Japon, séparée des autres par une porte coulissante recouverte de *shôji*, ce papier translucide collé sur les montants en bois. Toute une ambiance ! Oui, ça y est, pas le moindre doute, je suis bien au Japon !

Avant d'éteindre la lumière, par acquit de conscience, je déballe les affaires de mon sac à dos pour y chercher ma clé qui s'y serait peut-être négligemment glissée, mais en vain... Clé des champs, largage des amarres en bonne et due forme, échappée belle loin de l'enlisement dans le bourbier de l'ordinaire... Désertion d'une vie mise sous clé, à l'étroit derrière une porte fermée à double tour... Place à l'Éveil !

Suivre la route et mettre en déroute le mental, rompre les entraves du connu, du familier, m'éveiller, sortir de ma léthargie, de mes endormissements, m'extraire des brumes qui voilent et opacifient ma conscience, me dépouiller de mes encombrements, marcher vers l'essentiel, m'ouvrir à un autre niveau de réel, m'éloigner des contingences de ma réalité ordinaire, déployer un nouveau regard, accueillir une nouvelle dimension d'être.

Aller vers la véritable liberté, la liberté ontologique, la seule qui ait et donne un sens !

2 juillet – Graines d'éveil

La journée démarre sous le signe de l'agitation et de la précipitation. M. Matsuoka, ayant fixé rendez-vous de très bonne heure au journaliste de la télévision TV Asahi venu de Tokyo pour nous accompagner toute la journée et réaliser un reportage sur le pèlerinage de Shikoku, se montre pressé de se mettre en route et me répète en boucle, tel un mantra envoûtant et hypnotisant : « *Hurry up !* » La liste étourdissante à la Prévert continue sur un rythme endiablé – en japonais, cette fois-ci. Me voilà happée dans une course effrénée contre la montre où la vitesse est de rigueur, soumise à l'impératif d'avancer au pas cadencé collectif. Dictature de l'urgence frénétique, joug oppressant du temps linéaire. Nous passons chercher Harunori puis notre journaliste à son hôtel et nous nous dirigeons vers le premier temple pour démarrer l'aventure. Le soleil est déjà haut et très chaud.

Une fois sur place, à la petite boutique, je suis invitée par le journaliste à délaisser mon plus bel apparat de *henro** dont je m'étais fièrement équipée le matin afin de faire « comme si » je l'achetais à l'une des nombreuses boutiques situées à l'entrée du temple où s'équipent de pied en cap les *henro**. Et ce « comme si » sera le leitmotiv de cette première journée : le cameraman multiplie ses prises et, à chaque nouvel enregistrement, il s'agit de revenir en arrière, recommencer les mêmes gestes encore balbutiants et faire « comme si » j'arrivais au temple pour la première fois, « comme si » je ne m'étais pas inclinée devant l'entrée du temple, « comme si » je ne m'étais pas lavé les mains à la fontaine, « comme si » je n'avais pas allumé mes bâtonnets d'encens, « comme si » je n'avais pas encore récité le Sutra du Cœur… Certes amusant et inédit, ce petit côté « *star system* » et VIP (entendons là *Very Important Pilgrim*, bien sûr !), mais un peu désaccordé avec ma démarche de simplicité et la réalité du terrain que j'imaginais. Ne serait-ce pas là une posture qui friserait l'imposture ?

Entre mon statut singulier de *henro** occidentale et l'équipe de télévision, à chaque temple, je crée l'événement. Après le temple 3, encore une première : halte sur le chemin dans un restaurant typique de *ramen*, des nouilles agrémentées d'un bouillon épais réalisé à partir d'os de porc et de poulet (spécialité de Tokushima), accompagnées de tempuras, ces beignets frits de viandes, poissons ou légumes. Les nouilles doivent être aspirées bruyamment selon les usages locaux. Un déjeuner peut déjà être à lui seul toute une aventure ! Quoi, comment, avec quelles sauces, dans quel ordre ?

À la fin du déjeuner, M. Matsuoka, qui nous suivait en voiture et que tous écoutent avec beaucoup de respect, fait remonter, avec discipline, tout le monde en voiture pour nous véhiculer jusqu'au temple suivant. Je mets sous le boisseau ma profonde aspiration d'indépendance mais un sentiment d'agacement m'assaille par surprise. J'ai la désagréable impression d'être tenue fermement par la main, voire complètement infantilisée. J'essaie toutefois de faire preuve de la plus fine diplomatie possible pour ne pas prendre le risque de heurter sa susceptibilité. Je ne veux pas être l'élément qui grippe la machine mais ne tiens pas à mettre mon « je » en sommeil – qui plus est sur ce chemin vers l'Éveil. Je tente tant bien que mal de lui faire comprendre que je me fais un point d'honneur à réaliser le pèlerinage intégralement *aruite**, c'est-à-dire à pied. Je pense que tous me prennent pour une forcenée, mais me voilà repartie à pied avec Harunori, pas peu fière d'avoir posé cet acte en cohérence avec ce que je sens bien fondé.

Acharnée d'accord, mais pas extrémiste non plus, j'ai accepté – et, pour dire vrai, apprécié – que mon sac à dos suive en voiture. Entre le décalage horaire, la chaleur assommante et le réveil des muscles, alléger quelque peu le rodage du corps me convenait bien. La cadence s'accélère toutefois : nous arrivons avant 17 heures au temple 6 où m'attend mon hébergement au *shukubo**, cette pratique ancienne de certains temples qui, à l'origine, s'adressait surtout aux moines puis, à l'époque d'Edo[1], s'est ouverte aux pèlerins et aux samouraïs en déplacement. Nous finissons par arriver par une route où ne nous attendaient pas M. Matsuoka et notre journaliste ; ce qui nous a valu un demi-tour pour déboucher sur un autre chemin et faire « comme si » on arrivait pour la première fois…

Au temple 6, Anraku-ji, le bien nommé « Joie Perpétuelle », nous sommes accueillis par un moine charmant et lumineux, au crâne et au visage rasés de près, à l'œil qui rit et au franc sourire des gens habités d'une joie simple et profonde. L'homme a une prestance qui aimante, un charisme magnétique. Il me conduit dans ma chambre où, face à cette pièce entièrement vide, je marque un temps de surprise

1. L'époque d'Edo correspond au règne des Tokugawa (1603-1867), qui choisit Edo (aujourd'hui Tokyo) comme capitale. Cette période fut marquée par une politique d'isolement du pays.

et de perplexité qui amuse le journaliste. Il ouvre un placard dans lequel se trouvent futons, couettes, oreillers à dérouler et à installer soi-même sur les tatamis. La découverte et la nouveauté sont décidément partout, et j'aime retrouver en moi ce regard tout neuf et émerveillé de l'enfant qui découvre son environnement dans la fraîcheur de l'accueil, sans aucune idée préconçue ni certitude.

Dernières images pour la télévision japonaise dans cette chambre donnant sur un charmant jardin minéral de style zen où, dans la lumière déclinante de la fin du jour, de gros rochers dessinent leurs ombres sur un océan de petits gravillons. Le journaliste installe son décor et m'invite à m'agenouiller sur un coussin, dans une posture de recueillement, face à une représentation de Kûkai. Un dernier au revoir à mes compagnons du jour avant de suivre le moine qui, de quelques mots d'anglais, m'entraîne dans une visite du lieu. Je foule le bois chaud du plancher lisse et suis séduite par l'esthétique, la beauté et l'atmosphère paisible qui se dégage de la pénombre des pièces feutrées où il me conduit. J'observe, fascinée, tout ce qui m'entoure : les couleurs, les mandalas, les bouddhas dorés, les objets de dévotion. Nous faisons ensemble trois fois le tour d'un Bouddha haut de 5 mètres dans un rituel de circumambulation qui m'emporte déjà dans une ronde, miroir du cheminement qui m'attend. Je répète une prière incantatoire qu'il initie pour nos ancêtres défunts. De sa voix aux intonations chaleureuses, il me bénit puis il me présente une grande statue de Kûkai qui, comme dans la plupart de ses représentations, tient un chapelet dans la main gauche et, dans la droite, un *vajra*, autrement nommé *kongo,* incliné au niveau du cœur, arme sans pareille qui combat l'ignorance, instrument rituel dans la tradition bouddhiste de la Voie du Diamant à laquelle il a donné son nom. Le moine m'invite à poser les mains sur le *kongo* afin de solliciter sa bienveillance et sa puissance pour mener à bien mon pèlerinage et les réactiver en moi quand j'en sentirai le besoin. Mes mains effleurent ce puissant réservoir pour laisser se diffuser en moi cette énergie divine.

Je me sens dès lors accompagnée de la présence protectrice de Bouddha et de Kûkai. Comme une résonance avec cette bénédiction des pèlerins de Compostelle, lors de leur envoi sur le chemin à la cathédrale du Puy-en-Velay : « Dieu tout-puissant, sois favorable à tes serviteurs qui partent en pèlerinage et dirige leur chemin selon ta volonté : sois pour eux un ombrage dans la chaleur du jour, un abri dans les intempéries, une lumière dans l'obscurité de la nuit, un soulagement dans la fatigue, afin qu'ils parviennent heureusement sous ta garde au terme de leur route. » La puissance invoquée n'est certes pas représentée de façon similaire, mais les prières qui s'élèvent vers une transcendance sont identiques.

Puis nous récitons ensemble le Sutra du Cœur, que le moine ponctue régulièrement par la sonorité envoûtante d'un gong. Je répète mécaniquement ses mots, ses phrases, et les vivantes modulations des mantras, dans une espèce de psittacisme certes peu nourrissant pour l'esprit, mais je ressens à cet instant présent comme une indicible reliance entre l'homme et le divin, bien au-delà du mental et de l'intellect. D'ailleurs, l'usage des mantras et des mandalas reste au cœur de l'enseignement de Kûkai et du bouddhisme Shingon dont Kûkai a structuré l'enseignement à partir de l'initiation qu'il a reçue, en Chine, de son maître Hui-kuo.

Après cette première journée de marche, ce temps émouvant de prières et cette atmosphère suave finissent d'exercer sur moi une décantation du trop-plein de pensées qui avait précédé mon départ, un ralentissement cérébral, une connexion totale dans l'ici et maintenant. Le flot désordonné du mental commence à se poser. Quelque chose s'ouvre et respire en moi. J'entre dans le ressenti et l'émotion. En écho avec le texte sacré du Sutra du Cœur centré sur la notion de vide, je goûte la saveur d'un espace intérieur qui commence à se désencombrer, à s'évider, porté par ce climat fécond de spiritualité. Oublié le trop-plein des listes à la Prévert ! Volatilisés les pseudo-urgences, les soi-disant impératifs en tout genre et tous leurs corollaires qui encombrent et obstruent l'accès au présent !

18 heures. L'heure du dîner arrive bien vite, et c'est à l'heure précise que je me présente dans la salle à manger. Je fais sensation parmi un groupe attablé d'une dizaine de pèlerins japonais ayant

opté pour un voyage organisé en bus. Autant de paires d'yeux qui m'examinent avec attention, et de visages qui me gratifient de leurs sourires et de leur admiration par d'expressifs « *Eeeeh ! Sugoi* ne !* » (« Eh ! C'est fantastique ! »).

Encore une première à la fin du dîner : un pèlerin s'approche de moi, une bière japonaise Asahi à la main.

– *O-settai**, me dit-il en me l'offrant.

Cette tradition est une pratique ancienne du pèlerinage de Shikoku, un principe d'accueil et d'hospitalité envers les *henro**, et même un devoir religieux d'assistance fraternelle aux pèlerins, consistant en des offrandes faites à celui qui est considéré comme un intermédiaire entre les hommes et le Bouddha. Bien évidemment, ce présent ne se refuse pas.

Mon apprentissage permanent n'a de cesse de se poursuivre toute la soirée, animé par la fraîcheur de la curiosité et la pleine disponibilité d'esprit comparable à celle d'un enfant découvrant son environnement. Le pilotage à l'aveugle de la télécommande du climatiseur, sur laquelle tout n'est pour moi que signes abscons, m'amène même à enclencher la fonction « chauffage », loin d'être nécessaire pourtant ! Et comment peut bien fonctionner cette machine à laver sur laquelle les inscriptions en *kanji** ne laissent aucune prise à une perception familière ? Les fameuses toilettes high-tech japonaises, où il convient de rentrer après s'être équipé de chaussons spécifiques, sont équipées d'une lunette chauffante d'où peut jaillir de l'eau chaude, s'activer une fonction « séchage » ou retentir de la musique, en fonction des boutons. Tout un poème ! Mon premier bain aux *onsen**, sources d'eau chaude considérées comme un véritable art de vivre japonais, soulève quant à lui, avec légèreté, de grandes interrogations métaphysiques sur ce chemin vers l'Éveil et l'élévation de l'âme : parmi tous ces flacons à disposition devant chaque petit robinet et poire de douche, quel est celui du gel douche, celui du shampoing et celui de l'après-shampooing ? De même, la façon de procéder pour faire son futon dans les règles de l'art est loin d'être acquise d'emblée. Tout cela me plonge dans des abîmes de perplexité réjouie. Bref, plaisir sincère de la découverte. Joie simple et vraie d'être là.

À la fin du tourbillon incessant de cette journée où le temps chronologique de la montre et de l'horloge a régné en maître et imposé la cadence, une chose est sûre : je refuse de marcher au pas. J'aspire à ralentir le rythme, à décélérer, à passer à un autre étalon du temps, à prendre « mon » temps – littéralement, le mien, sans rien en perdre ni en gagner, le prendre simplement, sincèrement, sereinement pour m'imprégner de l'essentiel des lieux, des atmosphères, des rencontres. Oui, intimement, j'aspire à la lenteur retrouvée en cheminant là où me porteront mes pas et mon cœur. Vivre vraiment, entièrement, pleinement. Abolition du temps dans le présent de chaque pas, temps dilaté dans l'espace du voyage. Faire attention « au temps, aux heures de l'univers et non à celle des trains[1] ». Prendre le temps : serait-ce finalement le plus grand luxe que je puisse m'accorder ? Peut-être déjà une première clé que le chemin me délivre là… Accorder mon temps au rythme de mes pas, à la mesure de la rythmique intime de mon être, dans la plénitude de l'instant présent.

Si la ponctualité est certes une donnée capitale au Japon et une règle de politesse à laquelle déroger serait inconvenant, je ne veux pas m'imposer cette dictature de l'urgence régnant en maître dans nos vies survoltées où le « vite » s'emploie à toutes les sauces, où chacun court sans vraiment savoir après quoi, où l'agenda n'est plus un repère mais un tyran dictant ses règles, sommant d'agir immédiatement et imposant sa loi d'airain. J'aspire avec une vive ardeur à me réapproprier le temps et l'instant présent et à vivre cette marche dans le respect de mes rythmes intérieurs, sans précipitation. Me délester du fardeau d'un temps surinvesti de contraintes compulsives, me libérer d'une servitude volontaire à son égard pour me laisser le temps d'être, tout simplement.

Flux de la vie, subtile dilatation du temps, dissolution dans l'espace, plongée dans le monde du silence, immersion sur la voie de l'Éveil censée éveiller l'esprit du Bouddha en moi… Bercée par toutes ces réflexions, je sombre dans un profond et délicieux sommeil.

---

1. Henry David Thoreau, *Journal*, Mercure de France, 2002.

3 juillet – Ivresse

C'est le sourire aux lèvres et pleine d'excitation face à cette *terra incognita* que j'aborde cette première journée en autonome. « Marche comme ton cœur te mène et selon le regard de tes yeux[1]. » Sensation de liberté intense et incommensurable ! Libre de m'arrêter à ma guise ou de suivre tel ou tel chemin au gré de l'inspiration du moment, d'aller là où m'aimante ma boussole intérieure. Libre de m'accorder à la lente respiration de la nature, loin du halètement épuisant du quotidien. Libre de me mettre à l'écoute du silence et de dialoguer avec lui. Joie de retrouver « l'élément terre ». À moins que ce ne soit « l'élémentaire » ? Me voilà donc partie sereine, confiante, pleine d'entrain, le nez au vent et le cœur frétillant devant toutes ces découvertes à venir, avec la curieuse impression de me retrouver dans un environnement familier. Je me sens en osmose avec ce chemin, portée par une énergie d'être. Hormis mettre un pied devant l'autre, je n'ai rien à faire – juste à laisser faire, faire silence, me laisser être et faire confiance. L'heure des minutes et des secondes des montres et des horloges n'est plus de mise. Débrancher des « prises de tête » et rebrancher la « prise de terre ». Le cœur de mon existence est là où se déploient mes pas, ici, instant après instant.

1. L'Ecclésiaste, 11, 9.

Quel bonheur de retrouver cette proximité avec la terre, le ciel, les nuages, les arbres, les plantes, le bruissement du vent, les murmures des ruisseaux ! Quel plaisir de pouvoir s'étendre en chemin, les sens happés par les formes changeantes et évocatrices des nuages ou par les bruissements et frémissements de la partition de la nature, tour à tour silence et polyphonie ! Quelle joie de goûter à nouveau cette immersion dans ce vaste monde ! C'est pour moi un véritable apaisement de retrouver une respiration en harmonie avec le rythme de l'univers, ce rythme épaissi et riche de sa propre substance, loin des heures régies par la cadence infernale des rendez-vous. Je savoure ce ravissement de m'accorder au paysage traversé et de retrouver cette sensation du corps en marche et l'acuité de mes perceptions sensorielles. L'Éveil n'emprunterait-il pas tout d'abord la voie du réveil du corps ?

Je me sens dans la pleine ouverture et réceptivité à chaque jour, à chaque rencontre, à « cet éphémère égrené dans le fil des jours qui se mue ainsi en petites éternités, à chaque instant recommencées[1] ». Le voyage me semble en effet louange perpétuelle à l'éternité de l'éphémère.

Éveil, sens de la merveille, j'admire, je m'étonne et m'émerveille de toutes ces beautés à l'œuvre.

Je m'abandonne avec frénésie à ce chemin. Je me sens portée par l'enivrement symbolique des grands

1. Jacques Lacarrière, *Chemin faisant*, Fayard, 1974.

devient à lui seul une victoire. En même temps, si tout s'était révélé facile d'emblée, je me serais peut-être dit que Dieu m'avait oubliée…

Et je ne sais par quelle forme de magie mes pieds finissent par me conduire au temple 12, le jour faiblissant. J'apprendrai plus tard que l'étape entre le temple 11 et le temple 12 comptabilise 1 682 mètres de dénivelé positif et 1 012 de négatif : jolie balade, tout de même !

L'accès au temple se fait en longeant un long chemin courbe bordé de statues de Bouddha et d'autres divinités, qui forment une haie d'honneur au pèlerin victorieux de cette épreuve du jour. Encore une enfilade de marches, tel l'effort ultime pour grimper sur le podium, et me voilà au cœur d'un temple chaleureux et soigné. Il paraît qu'ici vivait un dragon de feu que Kûkai aurait maîtrisé, apportant ainsi la paix et la sécurité à la population des vallées avoisinantes. Aujourd'hui, un joli bassin que se partagent des lotus et des carpes côtoie une balançoire et des petits bouddhas facétieux au milieu d'arbres longilignes perdus dans les vapeurs ouateuses de la fin du jour. Les trouées à travers les nuages laissent percevoir les derniers rayons timides du soleil. Quelle jubilation d'avoir atteint ce temple, quel ravissement de me délester de mon sac à dos et, prosaïquement, de pouvoir étancher la soif qui m'étreignait depuis un moment ! Mes rituels effectués, c'est épuisée et douloureuse que je me remets en marche pour les trois derniers kilomètres de l'étape sur un chemin glissant, dans l'ombre épaisse d'un sous-bois.

Je suis attendue au *zenkonyado** Sudachi-Kan par un couple adorable, dont l'existence semble entièrement dévouée à Kûkai et consacrée aux pèlerins, comme on en rencontre aussi sur le chemin de Compostelle. La chaleur de l'accueil authentique est en miroir de cette sincère ouverture du cœur. Le propriétaire me fait visiter un dortoir dont je serai la seule bénéficiaire, puis me fait signe de le suivre pour, j'imagine alors, me montrer la salle de bains. Détail curieux : il m'invite à prendre place dans sa voiture qu'il conduit avec grande élégance, les mains recouvertes de gants blancs. Et vu l'état d'hébétude dans lequel je me trouve, je suis à peine surprise lorsqu'il me dépose quelques kilomètres plus loin aux bains publics des sources thermales d'eau chaude de Kamiyama. Je ne m'attendais pas à cela, quand même !

En débarquant dans ce lieu de détente populaire où les locaux apprécient de se délasser après une journée de travail, là encore je crée sensation. Arrivant les mains dans les poches, je suis initiée aux us et coutumes de la culture du bain à la japonaise par plusieurs femmes qui tentent, entre deux grands éclats de rire partagés, de m'expliquer les usages, à grand renfort de gestes et de mimes expressifs.

Il convient d'abord de retirer ses chaussures et de les déposer dans les casiers de l'entrée. Après m'être déshabillée dans les vestiaires et avoir laissé mes vêtements dans un bac prévu à cet usage, je suis conduite en tenue d'Ève par une petite dame dans la pièce réservée aux femmes. Près de l'entrée de cette salle au plafond très haut, sont alignés des tabourets et des seaux destinés aux baigneurs. Plusieurs rangées de robinets avec une pomme de douche sont situées le long des murs. Les produits d'hygiène sont à disposition devant chaque robinet. Au fond, à côté de grandes baies vitrées, se trouvent des bassins, à différentes températures. Mon corps courbaturé et endolori par les douloureux kilomètres parcourus aujourd'hui se laisse glisser avec délectation dans cette eau extrêmement chaude et savoure cette atmosphère lénifiante.

Pendant ce temps, mon chauffeur aux gants blancs est resté à patienter dans sa voiture. Alors ça, ça fait vraiment *Very Important Pilgrim*, n'est-ce pas ?

De retour au *zenkonyado**, l'heure du dîner a sonné et je me retrouve attablée avec Rae et Jerry, un couple de Taïwanais très avenants partis, eux aussi, à pied, pour les 88 temples, mais en voyage de noces. Pour la petite histoire, ils portaient avec ferveur dans leurs vœux la venue d'un nouveau-né dans leur foyer et sont aujourd'hui les heureux parents d'une adorable petite fille. Kûkai ne doit pas y être pour rien !

Vaincue par la fatigue de cette journée éreintante, je suis le mouvement du jour, basculant très rapidement sur une nuit profonde.

5 juillet – À travers cimes et vallées

Le réveil confirme l'idée d'une force de récupération et d'un réservoir d'énergie insoupçonnés, tapis dans les profondeurs de nos organismes. L'épreuve physique de la veille neutralisée par cette nuit régénérante, c'est avec légèreté que je me prête au jeu de la séance photos matinale avec mes hôtes, Rae et Jerry, requinqués également, et le chien de la maison à une place de choix – cliché qui viendra compléter la superbe mosaïque murale composée d'une multitude de visages de *henro** venus de tous horizons, tantôt enjoués, éreintés, fiers, inspirés, espiègles, fragiles, aventureux, pétillants, sérieux, paisibles, amicaux, ouverts, rayonnants... Une belle palette riche en variété de teintes. Autant d'expressions d'une humanité en marche vers un au-dehors qui est, en même temps et peut-être avant tout, chemin vers le centre d'elle-même. Les photos n'ont pas besoin d'être traduites. Chacun de ces êtres m'apparaît comme un compagnon du voyage vers mes terres intérieures.

Étant arrivés hier soir au temple 12 après la fermeture du bureau du calligraphe, Rae et Jerry ont prévu de revenir sur leurs pas pour obtenir le fameux sésame.

– *See you very soon !* (À très bientôt !)

Nous nous quittons avec l'intime conviction de nous revoir très bientôt.

Je me mets donc en route en solo, le silence dans l'étendard de ma liberté, pleinement disponible pour contempler le paysage et savourer ce jour nouveau qui s'annonce. « Fuir seul, vers le seul[1]. »

Mais la journée démarre durement, comme un écho à la douloureuse avancée de la veille... Pente raide, sac pesant sur mes épaules qui me rappellent, dès les premiers kilomètres, la contribution soutenue dont elles ont déjà fait preuve. Chaleur moite, humide et assommante qui me donne l'impression d'avoir un corps enrobé de plomb. J'en arrive à envier les petits crabes rouges que je croise en nombre dans les sous-bois et qui tournoient avec une légèreté arrogante. Les pauses se multiplient à mesure que se déroulent les kilomètres. Mais peut-être qu'une fois mes jambes devenues lourdes et fatiguées, viendra le moment où je me sentirai m'élever, grâce aux ailes qui m'auront poussé ?

En attendant, l'horizon du jour, fixé initialement entre les temples 16 et 17, se voit ramené avec plus d'humilité et de modestie au *minshuku** Myozai, situé à une vingtaine de kilomètres de là, près du temple 13. Le *minshuku** est un établissement familial où les pièces sont aménagées à la japonaise. Même si, initialement, je souhaitais ne pas me laisser enfermer dans des contraintes de prévision d'itinéraire et de planification d'hébergement, je dois cependant m'incliner devant le cadre culturel de ce pèlerinage qui l'impose comme règle de bienséance à laquelle déroger constituerait une marque d'indiscipline répréhensible. Les Japonais exècrent

1. Plotin, *Ennéades*, Les Belles Lettres, 1997.

l'inattendu et le hasard. Les agendas sont bien cadrés et balisés. Le respect des horaires est érigé en principe absolu. L'improvisation est méprisée et absolument bannie dans la société nippone.

Assise sur un muret au bord de la route, les jambes ballantes, je sélectionne donc quelques phrases toutes prêtes dans mon guide de conversation japonais. Je répète à plusieurs reprises cet enchaînement phonétique, précieux sésame pour offrir ce soir à mes muscles endoloris le cadeau de s'amollir dans les vapeurs d'un *o-furo** avant d'enfiler le *yukata**, ce kimono en coton léger posé délicatement sur le futon moelleux qui m'attend à la clé... Voluptueuse évocation. Le numéro composé, en essayant de mémoriser cet enchaînement pour tous les lendemains à venir, je me lance avec conviction :

– *Moshi moshi* ?* (Allô ?)

– *Ohayô gozaimasu**. (Bonjour.)

– *Watashi wa Marie desu.* (Je m'appelle Marie.)

– *Furansujin desu.* (Je suis française.)

– *Aruki* henro* desu.* (Je suis pèlerine à pied.)

– *Konban heya no yoyaku o onegai shimasu.* (Je voudrais réserver une chambre pour ce soir, s'il vous plaît.)

De l'autre côté du combiné, une voix me répond. Bien évidemment, les propos de mon interlocutrice sont nimbés d'une opacité qui ne se dérobe pas. Malgré toutes mes bonnes intentions, mon apprentissage de la langue japonaise n'a pas été plus loin que la première leçon de la méthode rapide d'apprentissage dont je m'étais équipée – thématique d'ouverture intitulée « *Kanai desu* », autrement dit : « Voici ma femme. » Je maîtrisais donc parfaitement la présentation qu'un homme peut faire de sa compagne en japonais mais, tout bien considéré, cela avait peu de chances de faire avancer mes tentatives de communication sur place... Prise par l'urgence du départ, j'avais finalement renoncé à apprendre ne serait-ce que des rudiments de japonais et avais opté pour un guide de conversation basique à garder à proximité de main, persuadée qu'une fois en chemin, tout se simplifie.

Joueuse, je répète donc à plusieurs reprises à mon interlocutrice téléphonique :

– *Nihongo wakarimasen.* (Je ne comprends pas le japonais.)

– *Domo arigato gozaimasu**. (Merci beaucoup.)

– *Yoruni ne !* (À ce soir !)

Puis, confiante, je raccroche. La suite a donné raison à mon optimisme. L'accueil a été conforme à mon pari : absolument délicieux !

Cette journée est par ailleurs ponctuée d'*o-settai** chaleureuses. Un conducteur d'une élégante voiture va même jusqu'à réaliser un demi-tour pour me faire offrande, avec grande considération, d'un Aquarius, boisson minéralisée très désaltérante qui deviendra le nectar de mes pas. Glaces, petits pains, oranges et tomates viennent à moi comme autant d'encouragements divins à avancer, poursuivre avec allant et repousser sans cesse les limites de mon horizon. « *Ultreia e sus eia !* », « toujours plus loin, toujours plus haut ! », clament avec vigueur les pèlerins de Compostelle. Comment, portée par tant de bienveillance, touchée au cœur par la ferveur de ce devoir religieux d'assistance fraternelle aux pèlerins, pourrais-je envisager une autre boussole ?

La soirée donne lieu à de nouvelles et comiques expériences d'abîme de perplexité face à des caractères linguistiques toujours aussi abscons pour mon œil d'Occidentale. Comment savoir, face à ces *kanji** inconnus, si je m'apprête à aller dans la salle de bains destinée aux hommes ou aux femmes sans risquer l'incident de pudeur quelque peu gênant ? J'apprendrai plus tard que l'entrée de la partie réservée aux hommes est en principe bleue, tandis que celle des femmes est rouge. Pour le moment, j'essaye de comparer les *kanji** sur chacune de ces portes avec ceux de mon guide linguistique. Beauté et puissance du regard neuf appréhendant la réalité sous un jour nouveau, dans le simple contact avec l'expérience réelle au présent. Au-delà de l'ordinaire, de l'extra-ordinaire, de l'hors de l'ordinaire (serait-ce là l'or de l'ordinaire ?), déconditionné de l'habituel. Je goûte avec délice les premiers fruits de ce chemin qui me conduit déjà vers davantage de présence à ce qui est, juste là, ici et maintenant, sans déformation par les prismes de l'appris et les filtres du connu. Simplement aiguiser la perception de mes sens, laisser être et me laisser être. Tel l'enfant, de plain-pied dans l'immédiateté de son appréhension du monde.

– *Eh, Marie ! You, here !* (Eh, Marie ! Toi, ici !)

C'est Rae qui m'appelle. La journée s'achève sur les retrouvailles chaleureuses avec mes Taïwanais qui arrivent à une heure tardive, fourbus et accablés par la chaleur. Précisons tout de même qu'à Taïwan, ils sont acclimatés aux 35 °C… Je me disais bien qu'il faisait chaud, très chaud même !

Pensée du soir : « Le seul fait d'exister est un véritable bonheur[1]. »

6 juillet – Jungle urbaine

La journée commence face à une multitude de mets inconnus régalant mes papilles de saveurs inédites. Là encore, simplement accueillir en conscience, se mettre à l'écoute du murmure des sensations qui s'affinent, de cette intimité frémissante avec ce qui est, et ouvrir la porte à la pleine présence cultivée par l'expérience immédiate des sens.

Au pays du Soleil levant, il fait jour très tôt et, lorsque je me mets en route vers 7 h 30, l'aube est déjà loin, le soleil déjà brûlant et l'humidité plus qu'assommante. Les temples sont nombreux sur ce tronçon et s'égrènent au rythme de mes pas : temple 14, Jôraku-ji (« Éternelle Béatitude »),

---

1. Blaise Cendrars, *Du monde entier au cœur du monde*, Gallimard, 2006.

15, Kokubun-ji, 16, Kanon-ji. Gestes répétés à l'identique, vœux renouvelés et portés vers le Ciel.

Je m'égare à plusieurs reprises et m'offre même le luxe de rallonger le tracé du jour de quelques kilomètres en sens inverse… Sans plus de commentaires. Au temple 16, deux *henro** réalisant le pèlerinage en voiture me font un grand signe de connivence, auquel je réponds par une courbette. Comme pour le pèlerinage de Compostelle, tout âge, tout horizon et toute aspiration se côtoient. J'échange avec eux des *« ohayô gozaimasu* »* courtois et, d'un geste, ils m'invitent à prendre place à leurs côtés pour figer, dans une photographie, cette complicité de l'instant qui s'enfuit. Pas de discours, juste une présence densément partagée. Qu'ils sont élégants, tout de blanc vêtus, leur *juzu* (le chapelet bouddhiste) enroulé autour du poignet, et une étole autour du cou, la *wagesa**, marquée de l'inscription « *Shikoku Hachijuhakkasho junpai* » (« Pèlerinage des 88 temples de Shikoku ») et du mantra sacré « *Namu Daishi Henjo Kongo* » (« Vive le Daishi, diamant qui illumine tout ») !

Je repars sous un soleil de plomb, mon répertoire de chants passé joyeusement en revue et quelques poèmes pour alléger le déploiement de mes pas :

> Les vrais voyageurs sont ceux-là seuls qui partent
> Pour partir ; cœurs légers, semblables aux ballons,

De leur fatalité jamais ils ne s'écartent,
Et, sans savoir pourquoi, disent toujours : « Allons[1] ! »

Le temple 17, Ido-ji (« Puits »), doit son nom à la légende selon laquelle Kûkai aurait réussi à creuser un puits en ce lieu, en une seule nuit, pour venir en aide aux paysans qui souffraient du manque d'eau. Une superstition est attachée à cette cavité toujours visible : si le visiteur peut voir le reflet de son visage au fond, la chance l'accompagnera ; sinon, cela n'est pas de bon augure. Ouf, me voilà rassurée pour la suite !

Cet endroit me séduit par l'harmonie qu'il dégage et la quiétude qu'il arbore fièrement, malgré l'invasion de groupes de *henro** en bus et de leurs guides, très affairés à faire calligraphier et tamponner les *nôkyôchou** et les grands rouleaux appelés *kakejiku*, à accrocher chez soi en guise de bénédictions. Les guides s'appliquent ensuite à sécher les précieuses calligraphies à l'aide de sèche-cheveux.

Mon apparition, ma peau blanche, mes cheveux clairs et mes yeux bleus ne manquent pas d'intriguer et d'attirer à moi curiosité, sympathie et chaleureuses offrandes. Les rituels effectués, je me laisse transporter par la magie de la récitation collective du Sutra du Cœur. Psalmodie qui, par le son, fait résonner la présence du sacré et porte le religieux dans une dimension universelle, dans un

1. Charles Baudelaire, « Le voyage », *Les Fleurs du Mal*, t. I, Gallimard (« Bibliothèque de la Pléiade »), 1975.

état de conscience hors de l'individuel. Je suis alors submergée par un puissant sentiment de reliance à toute l'humanité, qui n'aura de cesse de m'accompagner avec de plus en plus de vigueur.

Imprégnée par ce tissu vibratoire, je reprends la route. Et ça n'est pas peu dire ! Jusqu'à Tokushima, le décor est bien loin d'être bucolique et charmant : routes, autoroutes, voies express, voies ferrées, constructions industrielles, carrefours giratoires, feux, panneaux en tout genre. Monotonie de cette traversée industrielle et citadine, qui n'est pas sans me rappeler quelques tronçons interminables du chemin de Compostelle, en France comme en Espagne, où le pèlerin se voit contraint de se dépouiller de ses prétentions touristiques et paysagères. Moi qui m'attendais à une marche rapprochée avec la nature, me voilà à avaler le goudron dans un vrombissement étourdissant de moteurs, sous un soleil mordant la peau… Un flot ininterrompu de camions et de voitures accompagne mes pas, m'obligeant à la plus grande vigilance. La route me paraît longue, très longue, et je me traîne péniblement jusqu'à ma halte du jour, avec la forte impression que les murs collent à ma peau et que l'asphalte pèse de tout son poids sous mes semelles.

Je profite de l'arrivée dans la grande ville pour résoudre mon souci technique du moment : mon adaptateur s'étant révélé inadapté aux prises japonaises, me voilà bien ennuyée pour recharger mon appareil photo. Je pars donc explorer la ville et, après de vaines tentatives, je tente une ixième fois d'expliquer à une jeune vendeuse ma situation à grand renfort de gestes et de dessins, dans le magasin de téléphones d'une galerie marchande. Mais, encore une fois, la réponse s'avère négative. C'est un peu dépitée que, quelques mètres plus loin, je vois ma charmante vendeuse courir vers moi, aussi vite que le lui permettent ses talons hauts et sa jupe fuselée. La mine réjouie, elle me tend un adaptateur retrouvé au fin fond d'un tiroir. Et il se vérifie parfaitement adéquat ! La vie m'offre exactement ce dont j'ai besoin à ce moment présent. Gratitude ! J'ai l'impudeur de laisser éclater ma joie au grand jour et d'embrasser ma rencontre bénie dans un élan spontané, qui lui fait monter le rose aux joues et éclater de rire. Il est vrai qu'au Japon, on ne se donne que rarement une accolade – et seulement entre intimes.

– *Present for you !* (Cadeau pour vous !), me répète-t-elle, partageant mon enthousiasme.

Voilà de quoi retrouver le plein d'énergie pour flâner, savourer les charmes architecturaux, culinaires et culturels de cette grande ville, qui m'apparaît d'un coup curieusement beaucoup plus avenante et souriante. Joyeuse même, avec son festival d'été solidement établi depuis le XVIIe siècle, le plus important du pays parmi les 100 000 festivals qui égaient chaque année le Japon. Il forme sans doute le plus grand spectacle synchronisé au monde : 70 000 danseurs et musiciens se produisent chaque mois d'août, durant quatre jours, dans cette ville, devant près de deux millions de spectateurs venus de tout le pays.

Dans cette jungle urbaine, je m'arrête à un carrefour, le nez plongé sur mon plan réalisé à partir de repères tels qu'enseignes de magasins, guirlande de lampions, bureaux de poste, distributeurs de boissons et autres détails que j'avais dessinés pour retrouver le chemin de mon hébergement – sachant qu'au Japon les rues n'ont pas de nom, forcément, ça complique ! C'est alors que je suis abordée par une femme à vélo, me croyant égarée et ayant à cœur de m'apporter son aide. Je la remercie chaleureusement mais lui répète à plusieurs reprises de mon plus bel accent anglais :

– *It's OK !* (C'est OK !)

Ce qu'elle n'a de cesse de prononcer à son tour, avec une prononciation quelque peu déroutante de l'anglais version nippone remastérisée.

– *Ishoké ishoké ?* m'interroge-t-elle, visiblement très embarrassée et interloquée.

– *Chotto matte kudasai !* (Attendez un instant, s'il vous plaît !), renchérit-elle en secouant la tête, cherchant manifestement où cet endroit pouvait bien se situer dans sa ville. Une fois le malentendu dissipé, notre rencontre se conclut sur de grands éclats de rire partagés.

À mon hébergement m'attend une nouvelle initiation : la télévision nippone. Feuilletons de samouraïs, combats de sumos, informations locales, météo et émission de variétés musicales… tout un voyage sans même déplacer un orteil ! Par ailleurs, des rangées de mangas sont disposées sur les étagères d'une bibliothèque et ma curiosité m'invite à me plonger dans une lecture d'images transportant dans un autre univers. L'aventure est décidément partout !

7 juillet – Douce harmonie

Alors que j'étais partie avec conviction pour l'étape suivante, la canicule s'abat sur moi dès les premiers pas et je réalise, après avoir parcouru 20 mètres, que mon corps, épuisé par ces premiers jours de marche et harassé par la chaleur, me supplie avec véhémence de lui octroyer une pause. Notre incarnation ne se laisse pas oublier facilement ! Comme l'affirme la sagesse populaire, « qui veut aller loin ménage sa monture ». L'engagement du corps étant total et ne trichant pas, demi-tour, retour à l'hôtel. Thématique du jour : on recharge les batteries, on se requinque, journée de repos et de récupération ! La route est encore longue jusqu'au temple 88.

Je profite de ce temps pour me promener dans le paisible jardin japonais entourant le château de Tokushima. Des femmes en kimono vont et viennent avec élégance dans une atmosphère éthérée. J'admire l'harmonie des formes et des couleurs à l'œuvre dans ce jardin quand une femme très âgée, haute comme trois pommes, claudiquant de tout son être et s'évertuant à faire de grands signes de bras en ma direction, attire mon regard. Bien que les Japonais soient réputés être indulgents avec les étrangers qui ne connaissent pas leurs coutumes, je suis sincèrement embarrassée à l'idée d'avoir pu, à mon insu, marcher à un endroit prohibé ou commettre quelque impair culturel. Prête à demander la plus grande mansuétude pour mon ignorance, je m'avance vers elle. Son visage tout plissé m'apparaît comme le parchemin d'une longue histoire à déchiffrer, certainement une vie vécue comme une belle aventure, vu ses yeux rieurs et lumineux. Des perles de transpiration lui brouillant la vue, elle s'adresse à moi comme si le japonais était ma langue maternelle. Bien évidemment, malgré toute ma bonne volonté, je ne comprends rien, à part qu'elle semble vouloir que je la suive.

Et c'est escortée par cette petite grand-mère que je me retrouve, comme par magie, dans une salle du château de Tokushima, en pleine cérémonie du thé ! Je pénètre avec enchantement dans un univers suranné. Un monde de douceur et de raffinement extrême s'offre à moi. À chaque jour son lot de surprises !

Après m'être déchaussée, me voici agenouillée en position *seiza*, cette façon traditionnelle de s'asseoir au Japon, jambes repliées sous les cuisses, les fesses reposant sur les talons, sur les tatamis. Je suis entourée de femmes en kimonos aux ornements colorés et aux admirables chignons, toutes plus gracieuses les unes que les autres, et d'hommes en tenues de cérémonie. Quant à moi, j'ai du mal à rester dans cette position inhabituelle, et mes jambes ankylosées me le font bien savoir.

La cérémonie se déroule selon un rituel bien orchestré où tout, de la gestuelle aux vêtements, en passant par les ingrédients et les ustensiles, est empreint de sacré et élève vers le divin. Images d'Épinal d'un Japon ayant nourri mon imagination. Ravissement devant cette célébration du beau et du simple. Je suis conquise par l'esthétique et la grâce qui en émane. Je savoure chaque gorgée de ce délicieux breuvage épais et dense au parfum doux et subtil. Les sourires appuyés de ma petite grand-mère ridée tiennent lieu de conversation. « Il n'y a qu'une espèce valide de voyage, c'est la marche vers les hommes[1]. » J'en suis ! Cette « marche vers les hommes », c'est elle aussi qui m'aimantait lorsque, étudiante, j'attendais impatiemment les vacances d'été pour partir en mission de solidarité internationale avec la Guilde européenne du Raid, dans des endroits reculés aux conditions de vie rudimentaires. Du Liban en passant par Madagascar, que de merveilleuses et lumineuses rencontres !

J'apprends, à l'issue de la cérémonie du thé, qu'au Japon, archipel baigné de légendes, la septième nuit du septième mois correspond au Tanabata, la fête des étoiles. Il s'agit d'une histoire d'amour entre une déesse tisserande, Orihime, et un gardien de bœufs, Hikoboshi, mortel. Par amour, la

1. Paul Nizan, *Aden Arabie*, Rieder, 1931.

déesse quitta le monde céleste, épousa Hikoboshi et lui donna un fils et une fille. Le père de la déesse finit par retrouver sa fille et par la faire revenir de force dans le monde des dieux. Pour empêcher le bouvier, bien décidé à retrouver sa femme, d'arriver jusqu'au royaume céleste, les dieux séparèrent les deux mondes par une rivière infranchissable, la Voie lactée. Les deux amants malheureux, ne cessant de pleurer face à cette situation, les dieux leur permirent finalement de se rejoindre une fois par an, la septième nuit du septième mois. Et c'est ce que les Japonais observent chaque année dans le ciel à cette date : les étoiles Véga, à savoir la déesse Orihime, et Altaïr, c'est-à-dire Hikoboshi, semblent se rapprocher et s'étreindre dans la Voie lactée, donnant l'occasion de célébrations joyeuses. D'où les bambous décorés sur lesquels sont accrochées des bandelettes de papier portant des souhaits que j'ai croisés en nombre ces jours-ci. En effet, cette nuit-là, Orihime et Hikoboshi exauceraient les vœux des mortels. Sublime, non ?

Je suis vraiment touchée et subjuguée par la grâce de cette culture, par cette élégance visible en toute chose : le charme de l'habitat, l'harmonie des jardins, le raffinement culinaire, la douceur du savoir-vivre, la finesse de l'art et de l'artisanat, la délicatesse de la présence à l'autre, la saveur des traditions et de l'éducation, etc. Je me laisse emmener avec délectation et jubilation dans ce monde, portée par le regard émerveillé de la découverte, de cette toute première fois dans cet ici. Chaque acte, chaque geste, chaque pas ne seraient-ils pas en eux-mêmes à envisager comme une cérémonie à ce qui est ? Et si le vécu quotidien regorgeait d'instants sacrés ?

En fin de journée, mes déambulations finissent par me conduire inopinément devant une boutique au nom évocateur, et en français sur l'enseigne, s'il vous plaît, de « douce harmonie », comme en résonance avec mon ressenti intime de l'instant. Oui, douceur et harmonie, c'est exactement cela…

Ce pays exerce sur moi une troublante fascination et un bouleversement serein qui s'amplifie de jour en jour.

4

Enchantement simple

8 juillet – Présence

Dans le soleil naissant de ce nouveau jour, j'aborde cette journée à bonne allure, le pas vigoureux et alerte, le corps reconnaissant de cette halte ressourçante. Je me sens portée par le souffle d'un vent léger. Je croise des grappes d'enfants rieurs en route pour l'école, chemise blanche impeccable, jupe ou pantalon bleu marine, chaussettes hautes et cartable sur le dos, avec qui nous échangeons de joyeux « *ohayô gozaimasu** ».

Je retrouve en chemin Rae et Jerry, ce couple de Taïwanais en voyage de noces, avec qui j'accorde le rythme de mes pas jusqu'au temple 18.

– *Gambatte kudasai ! Kio tsukete** ! (Bon courage ! Prenez soin de vous !)

Ce sont des vieillards voûtés par le poids de l'âge et des fardeaux qui nous encouragent ainsi avec vigueur.

Bénédictions reçues en nombre tout au long du chemin, dont émane une fraternité sincère et puissante. Avec nos trois silhouettes de pèlerins et nos ombres accablées par les assauts du soleil, nous multiplions les *o-settai** : oranges, pâtisseries en tout genre et même gâteaux *made in France*. Petit sentiment de fierté patriotique en prime !

Dans la fraîcheur bienfaisante des sous-bois, le sentier glissant grimpe un peu plus, virage après virage, avant que ne se dessinent, sur fond de ciel d'un bleu immaculé, les contours imposants du temple 18, Onzan-ji (« Montagne de Grâces »). Ce sanctuaire est fréquenté assidûment par les femmes qui y portent leurs souhaits de grossesses et d'accouchements sereins. Il a d'abord été interdit aux femmes par son fondateur, avant que Kûkai ne lève cette interdiction suite à la visite de sa mère, venue le voir en ce lieu et ayant dû rester à la porte. J'y prends le temps d'une pause.

– *Malie-san ?* (en japonais, le *r* se prononce à mi-chemin entre le *l* et le *r*).

C'est l'unique *henro** en ce lieu, un jeune d'une vingtaine d'années, qui m'aborde tout guilleret. Comme sur le chemin de Compostelle, Radio Camino va bon train ici également, répandant sur le chemin, avant même que vos pas ne l'aient foulé, votre réputation, vos caractéristiques ou vos péripéties ! La nouvelle de ma présence se répand ainsi comme une traînée de poudre, attirant sur moi sympathie et curiosité, faisant s'ouvrir aisément les portes et les cœurs. Ce jeune homme marche du temple 1 au temple 19 dans une démarche spirituelle et envisage d'accomplir l'intégralité du pèlerinage sur plusieurs années, comme cela semble être fréquemment le cas pour les *henro** japonais.

Après avoir avalé plusieurs kilomètres, à l'ombre opportune d'un distributeur automatique de boissons et de cigarettes – ces machines faisant partie intégrante du paysage au Japon –, je m'accorde une pause « boisson fraîche » bienvenue. Un homme en voiture s'arrête à ma hauteur et m'indique mon positionnement sur ma carte : attendue ce soir au *shukubo** du temple 19, je suis, à ma grande surprise, passée à côté d'un embranchement en patte d'oie, probablement trop absorbée par le dialogue intérieur qui me tient lieu de compagnon de marche… Estimation faite, j'ai dépassé ce fameux temple de huit bons kilomètres, soit presque deux heures de marche – deux heures qui, vu les conditions climatiques, comptent double ! Fraternité touchante : mon généreux « bienveilleur » du moment m'épargne ce retour à pied, me faisant l'honneur de sa voiture climatisée parée de dentelles que, dégoulinante, je crains de malmener.

– *Ah Malie-san ! Irrashaimase !* (Bienvenue !)

– *Arigato gozaimasu*. Konichiwa* !* (Merci. Bonjour !)

– *Hajimemashite.* (Enchanté.)

Arrivée au temple, je suis accueillie par le calligraphe, un jeune homme jovial qui attendait, en regardant sa montre, l'unique visiteur du jour. Avec mes trois mots de japonais très approximatifs et ses quelques mots d'anglais, on se débrouille ! Il me fait l'honneur des lieux. Tampon d'usage, calligraphie, *o-settai** d'une version écrite du Sutra du Cœur, thé, gâteaux et visite guidée du *shukubo** immense et désert à cette saison. Il m'installe dans une grande chambre, séparable en pièces plus petites par des parois coulissantes, et me laisse l'embarras du choix parmi les multitudes de douches.

À 17 heures, délestée et délassée, je suis fin prête pour l'exclusivité de la cérémonie du soir, dans une salle magnifique dont les plafonds peints et les mandalas sur les murs constituent un véritable enchantement pour les yeux et une invitation à l'élévation pour l'âme. L'ambiance feutrée et la lumière tamisée confèrent d'emblée à ce lieu une forte dimension spirituelle et invitent à la contemplation. Je m'imprègne du parfum d'encens, intimement et comme amoureusement mêlé à celui des tatamis. À la demande du moine, je dépose trois pincées d'encens sur le charbon à vif, les volutes de fumée s'élevant vers Bouddha en guise d'offrande, et laisse opérer la magie incantatoire des récitations psalmodiées. Un passage des *Dialogues avec l'Ange* me traverse alors l'esprit : « Le chant que votre âme appelle doucement de la terre n'est ni triste, ni gai, ni trop, ni trop peu, mais Plénitude[1]. » Après Douceur et Harmonie, bienvenue à Plénitude !

Voilà que me reviennent en mémoire les rencontres mensuelles animées à Paris, au Forum 104, par Marguerite Kardos dont je suis, avec beaucoup de joie et d'assiduité, l'enseignement sur les *Dialogues avec l'Ange* depuis quelques mois. Ce livre est la transcription d'une expérience spirituelle

1. *Dialogues avec l'Ange*, Aubier, 1976.

vécue en Hongrie, en pleine horreur de la Seconde Guerre mondiale, par quatre jeunes Hongrois. Un jour, leur maître intérieur, leur Ange, se mit à parler, tissant ainsi pendant dix-sept mois, à travers des questions et des réponses, 88 entretiens lumineux, véritable hymne brûlant à la Vie. D'ailleurs, la résonance entre les 88 temples du chemin sacré de Shikoku et le nombre de ces entretiens m'interpelle. En tout cas, comme lors de ces soirées de partage qui me nourrissent tant, je retrouve sur ce chemin des graines d'éveil, des semences de transformation, et ce contact avec les profondeurs de mon être pour aller vers plus d'accomplissement, plus de réalisation et de croissance intérieure.

Mon dîner soigné, durant lequel je suis l'objet de tous les égards de la cuisinière, se termine par une douceur sucrée : une gelée de mangue et d'ananas sur laquelle voltigent de gros caractères, en parfaite correspondance avec cet enseignement qui chemine en moi au fur et à mesure que se déploient mes pas sur cette terre d'Asie : « *When you eat this jelly, don't think, just feel !* » Ne pas penser, simplement ressentir. Débrancher du mental, être pleinement dans l'expérience de l'instant présent, de tout mon être et de tous mes sens.

Les derniers rayons du jour se fondent sur les toits mordorés du temple, la lumière rasante fait flamboyer les fleurs, le sanctuaire devient réceptacle aurifère. Je suis saisie par la poésie du lieu, ce crépuscule frémissant et ce silence majestueux. M'étreint alors un intense sentiment de gratitude à l'égard de la Vie à l'œuvre, à l'égard de ce Vivant en moi et autour de moi, une immense envie de dire « Merci ! ». Oui, merci la Vie !

Une semaine s'est écoulée depuis mon arrivée, mais que d'aventures déjà vécues dans ce temps densifié, dans cet espace dilaté ! Une belle épopée. Douceur, harmonie et plénitude pour toute boussole. Et cela ne fait que commencer…

9 juillet – Sérénité

Dans la vapeur tiède du lever du jour, mes semelles foulent à nouveau les huit kilomètres de zèle de la veille avec beaucoup plus de vigueur. Le trafic est dense sur cette route étroite : un flot ininterrompu de véhicules accompagne mes pas, frôlant mon sac et m'obligeant à la plus grande vigilance. Je me sens bien fragile à côté de ces monstres vrombissants. Et soudain, bonheur du calme retrouvé sur un chemin champêtre qui grimpe dans les sous-bois, vers le temple 20 annoncé par un petit panneau de bois au *kanji** désormais reconnaissable. Jubilation de renouer avec le contact d'une route non asphaltée. Les rayons de lumière dansent sur ces sentiers ombragés, où les nombreux lézards aux couleurs métallisées frisant le fantastique et les petits crabes rouges se frayent avec agilité un chemin entre les pins altiers et les graciles bambous. Arrivée au temple 20, Kakurin-ji, hissée vers le sommet à 610 mètres d'altitude au terme d'un *nansho*, un de ces passages considérés comme rudes, je suis accueillie par un groupe de pèlerins en bus, qui portent avec ferveur vers le ciel leurs vibrantes incantations collectives. J'accueille, je savoure et laisse se diffuser ces ondes vivantes et recueillies dans le moindre recoin de mon être.

Puis le chemin s'enfonce dans une verdoyante vallée au fond de laquelle je suis le tracé de cette eau qui scintille dans son étreinte tendre avec l'astre solaire. Calme et Sérénité s'invitent dans ce voyage. Et Joie aussi : celle de retrouver Rae et Jerry au temple 21, le temple du « Gros Dragon ».

– *Oh, Rae and Jerry, my dear friends henro* !* (Oh, Rae et Jerry, mes chers amis *henro** !)

– *Oh, Marie, our henro* hero !* (Oh, Marie, notre *henro** héros !)

– *How are you ?* (Comment ça va ?)

– *So lots of up and down and so hot hot hot !* (Que de montées et de descentes et qu'il fait chaud !)

Superbe sanctuaire ! Je prends le temps de m'imprégner des vibrations du gong que je fais résonner à l'entrée. Je suis émue par la beauté de ce lieu qui caresse le ciel et frise les nuages. Il émane de ce site à la fois une puissante énergie et une sérénité tangible, une force palpable et une quiétude régénérante. Tout n'est qu'harmonie : l'agencement des bâtiments eux-mêmes, l'élégance des massifs de fleurs, la grâce des arbres enlaçant cet espace. Je prends grand plaisir à déambuler. Tout m'invite à la contemplation. Cette osmose entre l'intervention humaine et l'esthétique du paysage éveille en moi un sentiment d'équilibre ouvrant sur une présence subtile bien plus vaste que moi. Il est des lieux où souffle l'Esprit.

Un jeune *henro** d'une vingtaine d'années, à fière allure avec sa *wagesa** violette autour du cou, m'aborde avec sympathie :

– *Eh ! Malie-san !* (Eh ! Marie !)

– *Radio Camino, konichiwa* !* (Radio Camino, bonjour !)

– *I saw you… photograph… Sudachi-Kan.* (Je t'ai vue… photographie… Sudachi-Kan.)

Il m'invite à le suivre pour me montrer un énorme dragon volant, peint sur le plafond de l'un des bâtiments. De ses explications mimo-gestuelles passionnées qui ajoutent quelques gouttes à son front perlé de sueur, il me semble comprendre que le dragon symbolise la force intérieure de l'être humain. Gratifiée par le moine calligraphe d'une carte sur laquelle un dragon paré de rouge et d'or manifeste sa puissance, je sens un regain de vigueur envahir mes muscles endoloris.

17 heures. L'heure du dernier téléphérique pour rejoindre mon lieu d'hébergement a sonné. Descente vertigineuse au milieu de cette vallée d'une spectaculaire beauté, embrassée de montagnes brumeuses sur lesquelles se reflète la lumière étincelante du soleil cheminant vers d'autres contrées. Nature d'une prodigieuse beauté !

– *Oh ! Malie-san ! Eeeh ! Sugoi* ne !* (Oh ! Marie ! Eh ! C'est fantastique !)

Arrivée dans un hôtel réputé pour ses sources chaudes naturelles, je suis accostée à nouveau par un *henro** tout sourire qui, lui aussi, m'a vue en photo chez Sudachi-Kan. Décidément, difficile de passer inaperçue !

Le corps alangui par les vapeurs de ce grand *onsen** dont je savoure les grands bassins pour moi seule, je partage le dîner en compagnie de quatre autres pèlerins japonais qui alternent marche et avancée en taxi. C'est en *yukata** empesé sur fond d'éclats de rire et de « *kampai* ! »* (santé !) partagés, résonnant au rythme des cliquetis de l'entrechoquement des verres de bière Asahi, que se déroule cette soirée, toute en légèreté.

10 juillet – Pacifique

Je retrouve mes joyeux compagnons au petit-déjeuner et partage avec eux la montée en téléphérique qui nous ramène au temple 21, afin d'effectuer à pied la descente vers le temple 22, en bons *aruki* henro** qui se respectent et prennent à cœur de ne pas raccourcir le kilométrage. Dans cette aurore délicate, je suis aussi subjuguée que la veille par le paysage qui s'étend sous mes pieds et aspire le regard. Les crêtes dorées des montagnes semblent caresser amoureusement le ciel et flamboyer de plaisir. Toute la vallée est inondée des doux rayons du soleil naissant, magnifiant les reliefs et mettant sur un piédestal la beauté vibrante du monde, comme pour honorer la Création. Je reste émerveillée par l'atmosphère qui irradie de ce temple. Aimantée par ce lieu, je prends le temps de flâner dans cet espace naturel qui invite au recueillement.

Le chemin plonge ensuite dans une vallée escarpée au fond de laquelle coule une rivière d'un bleu émeraude. Mes pas s'accordent à la musique cristalline de cette eau limpide. Dans les sous-bois, la lumière ondule entre les pins altiers, joue avec les hortensias orgueilleux et se fraie un passage entre broussailles et rochers. Lézards aux couleurs frisant le surnaturel, insectes en tout genre dont des moustiques gourmands, singes loquaces et quantité de serpents qui deviendront dès lors des rencontres quotidiennes, confèrent à ce lieu des airs d'arche de Noé.

Mes pensées m'amènent à élaborer un plan d'action structuré pour faire face le plus paisiblement possible à une éventuelle morsure de serpent. Je précise que je n'ai aucune idée du bien-fondé de cette élaboration mais qu'à cela ne tienne : plutôt que de rester figée par la peur en pareille situation, cette anticipation me rassure. Même Indiana Jones a peur des serpents ! D'abord, rester calme. (Je n'y crois guère, mais bon, c'est dans le programme…) Deuxièmement : pratiquer un garrot avec l'un des bandanas offerts sur la route pour limiter la diffusion du venin. Troisième point : pratiquer une entaille avec mon couteau de Laguiole, histoire d'évacuer le poison. Et enfin : m'acheminer le plus sereinement possible vers un endroit habité où je pourrai faire comprendre, gestes et dessins à l'appui, ce qui vient de se passer, et être soignée en conséquence.

Perdue dans ces réflexions, je fais alors une rencontre incongrue. Trois hommes, fusil au poing, viennent vers moi. Qu'est-ce qui peut justifier cette présence armée insolite et un peu intimidante en ce lieu ? À grand renfort de mimes qui ne laissent place à aucun doute, ils me font comprendre qu'ils chassent le singe – ce qui me laisse alors perplexe. Je comprendrai plus tard que les singes ravagent les rizières pour se nourrir de cette précieuse denrée locale. L'évocation de mon lieu de résidence agit alors comme un véritable mantra aux pouvoirs merveilleux et enchanteurs.

– *Ah, Palis, Palis !* répètent-ils, les yeux tout à coup aussi brillants que l'éclat des vitrines des bijoutiers de la place Vendôme !

Le temple 22, Byôdô-ji, m'accueille par une flopée de marches raides et hautes. L'effort physique requis n'est vraiment pas à sous-estimer sur ce chemin. Les temples sont quasiment toujours situés en haut de collines ou de montagnes et se gagnent presque systématiquement après une multitude de marches à gravir, parfois jusqu'à 500. Mes jambes s'en souviennent encore ! Certains pèlerins alternent donc marche à pied et transports, ou optent pour un périple en voiture, en taxi, à vélo ou à moto. Et la plupart des pèlerins japonais se tournent vers le voyage organisé en bus. Le tour de l'île en une semaine !

La calligraphe remplit généreusement ma gourde de thé froid.

– *Yoyaku suru dekimasu ka ?* (Pouvez-vous effectuer une réservation, s'il vous plaît ?)

Ce qu'elle s'empresse de faire avec amabilité à un *ryokan** qu'elle me recommande chaudement à Tainohama Beach. « Tainohama Beach » : nom évocateur d'un nouveau monde d'enchantements. Les eaux miroitantes du Pacifique, des étendues chatoyantes de sable… Que de délices encore à venir ! Oui, ce soir, j'ai rendez-vous avec l'océan Pacifique ! Je me sens dans un état fébrile, comparable à celui de l'attente d'un rendez-vous galant riche en belles promesses.

À la recherche d'un peu de fraîcheur, je prends le temps d'une halte sur un banc à l'ombre d'un distributeur dans un petit village. À peine assise, je vois sortir de la maison d'en face un grand-père de 85 ans qui me sourit de ses yeux vifs et enthousiastes. Mon apparition ne manque décidément jamais de surprendre ! Il s'assoit à mes côtés et m'aborde d'une litanie habituelle de questions auxquelles je me prête de bonne grâce, et dont je commence à connaître presque par cœur les questions et les réponses associées :

– *Watashi wa Marie desu.* (Je m'appelle Marie.)

– *Furansujin desu.* (Je suis française.)

– *Paris kara kimashita.* (Je viens de Paris.)

– *Aruki* henro**. (Pèlerine à pied.)

– *Hitori.* (Toute seule – expression qu'il convient de souligner en pointant l'index d'une main vers le haut.)

– *Atsui desu ne ?* (Il fait chaud, n'est-ce pas ?)

Je comprends qu'il est très fier d'avoir réalisé le pèlerinage de Shikoku à deux reprises en voiture. Je lui fais offrande d'un *fuda**, cette petite bandelette de papier en guise de porte-bonheur qu'il accueille avec une vive et sincère émotion. Il disparaît alors un instant et s'empresse de revenir les bras chargés de gelées de fruits aux couleurs irréelles ! Exactement ce dont j'avais besoin pour poursuivre mon avancée avec entrain.

L'océan, tout proche, s'annonce dans cet air moite par des relents d'algues et de sable humide. Je commence à ressentir ses énergies vivifiantes. Un dernier virage et, soudain, cette immense étendue scintillante s'offre à mes yeux éblouis, qui découvrent avec émerveillement celui qui deviendra leur fidèle compagnon de voyage sur plusieurs centaines de kilomètres. Enchantement ! L'Éveil m'apparaît ici comme pleine présence à ce qui est là, sous mes yeux, à cet instant.

Et c'est dans un labyrinthe d'escaliers et un dédale de couloirs agencés autour d'un patio central que je sombre ce soir-là dans un profond sommeil, bercée par le doux murmure de l'océan.

11 juillet – Paix

Le réveil est matinal. Dès 5 heures, les premiers rayons du jour viennent chatouiller mes paupières encore ensommeillées et les « *kokekoko* » du coq (pas de « cocorico » ici, les coqs aussi chantent en japonais !) viennent taquiner mes tympans.

Pied droit, pied gauche, pied droit, pied gauche, bruit sourd de mon bâton sur l'asphalte, tintement léger de clochette, pied droit, pied gauche, pied droit, pied gauche, bruit sourd de mon bâton sur l'asphalte, tintement aérien de grelot… Je me laisse transporter par cette symphonie de mon « être tré-pied », les yeux rivés vers l'horizon où le bleu du ciel se perd dans l'océan. La route est fabuleusement belle, l'océan offrant une toile de fond des plus somptueuses.

Je croise un pêcheur, visiblement ravi de me montrer ses prises du jour. Il a le visage buriné de ceux qui vivent et travaillent au grand air.

– *O-settai* !* me dit-il en me tendant de petits ciseaux rouillés pour découper les poissons.

Je ne vois pas bien l'utilité que je pourrais en avoir dans l'immédiat, mais une offrande ne se refuse pas. Une femme, avec un large chapeau et des manches longues pour se protéger du soleil, se joint à nous avec son fils et un jeune chien affectueux. Je donne à chacun un *fuda**, qu'ils me rendent après y avoir écrit des vœux à mon intention tels que « *safe way, good day, good job* » (bonne route, bonne journée, bon travail), en y joignant quelques pièces de monnaie à déposer au temple suivant. Je me remets en route, le sac alourdi de quelques grammes mais surtout le cœur chargé de ces rencontres lumineuses. Même durant une brève entrevue, le cœur s'ouvre par le partage. Toi et moi, nous ne sommes qu'un… Toi et moi, nous sommes porteurs de la même humanité indivisible. Reconnaissance de cette identité commune qui nous anime et nous habite. Mailles invisibles tissées dans le filet de nos existences, dans le grand canevas de la vie. Mon âme salue ton âme et reconnaît en toi ce qui est aussi en moi, cet espace où réside tout ce qui nous est commun. Tu es une autre part de moi-même et je suis une autre part de toi-même. Une même expression de la Vie. L'humanité est profondément une. Communion avec tous les êtres.

Pied droit, pied gauche, tchac, gling…

– *Marie, Marie !*

Ma danse permanente entre concentration sur l'effort et distraction dans un dialogue intérieur est soudain suspendue par cette interpellation lancée par mes chers compagnons taïwanais. Mon petit pêcheur du matin les avait prévenus que je les devançais. Radio Camino ! Quelle joie de les retrouver et d'échanger avec eux sur nos aventures respectives, en rivalisant sur le nombre de serpents croisés en chemin ! Puis nos chemins se séparent à nouveau sur cette côte, où les tortues viennent pondre en nombre.

La canicule qui s'abat sur le pays est écrasante. Lors de mon arrivée, à 11 heures, au temple 23, Yakuô-ji (« Roi de la Médecine »), le thermomètre indique déjà 38 °C à l'ombre. De ce temple qui surplombe une plaine s'étendant jusqu'aux lointaines montagnes, la vue est magnifique. En ce lieu, les pèlerins viennent conjurer les âges considérés néfastes dans le calendrier bouddhiste, à savoir 42 ans pour les hommes et 33 pour les femmes. Pour cela, les hommes empruntent un escalier de 42 marches et les femmes un escalier de 33 marches, en déposant une pièce sur chaque marche menant au *hondo** et au *daishido**. Kûkai s'est d'ailleurs lui-même rendu dans ce temple à l'âge de 42 ans. Il est décidément d'une humanité bien touchante, ce Kûkai.

Je fais, en ce temple, la connaissance d'une sympathique Allemande, amoureuse du Japon, déjà venue ici il y a vingt-cinq ans. Elle me fait part, avec nostalgie, de sa déception face à tous les changements qu'elle constate : la petite esplanade traditionnelle a laissé place au grand centre commercial, l'espace vierge d'alors a vu naître moult habitations, etc.

Pied droit, pied gauche, pied droit, pied gauche, douce mélodie de mon bâton sur l'asphalte, tintement de clochette, vrombissement des monstres de la route 55. Alors que je m'octroie une pause sur le chantier d'un hôtel en construction, on m'apporte spontanément un siège et des boissons fraîches, dans un écrin de sourires, vrais, francs et directement jaillis des profondeurs du cœur. Oui, toi et moi, nous ne sommes qu'un… Reliés par une multitude de fils mystérieux dans le grand canevas du monde et de nos jours. Les paroles sages de Martin Luther King me reviennent alors en mémoire : « Nous devons apprendre à vivre ensemble comme des frères, sinon nous allons mourir tous ensemble comme des idiots. » Toi et moi, nous ne sommes qu'un.

La route est encore longue jusqu'au port de Mugi et mes indications cartographiques incertaines… Je fais une halte pour demander mon chemin dans une boutique où quatre personnes me fournissent des explications de haute précision, à grand renfort de photocopies et de plans annotés. Toi et moi, nous ne sommes qu'un, refrain du chemin. Mais l'heure avançant, mes anges du moment semblent inquiets et me font comprendre que je risque d'arriver après le départ de la dernière navette pour l'île de Tewa-Djimas, où je suis attendue pour la nuit. Il est effectivement plus de 17 heures lorsque j'arrive au pas de course, au port de Mugi, juste à temps pour rejoindre ce fier rocher surgi de l'océan. Je suis attendue à la descente même du bateau par Kazuhiko, surfeur de 52 ans à la musculature athlétique, qui m'accueille avec un large sourire. Il a de longs cheveux gris attachés en queue-de-cheval, le teint brûlé des hommes dont les vagues constituent le terrain de jeu quotidien, et un regard dans lequel se reflète l'immensité de l'océan. J'emboîte le pas à sa silhouette longiligne et élégante jusqu'à son habitation qui surplombe le port. C'est une maison jaune adossée à l'océan. Elle a comme un air de « maison bleue adossée à la colline » de Maxime Le Forestier, vous savez celle où « on vient à pied », où « on ne frappe pas, ceux qui vivent là ont jeté la clé ». Tiens donc, encore une histoire de clé. Décidément, il suinte de malice, ce chemin !

À l'intérieur, je découvre une grande pièce au mobilier restreint mais aux différents emplois, comme il est d'usage dans la tradition japonaise : cuisine, chambre ou séjour. Tatamis au sol en guise de sommier et planches de surf au plafond seront les cieux de mes deux nuits passées là-bas.

Après une superbe soirée passée en compagnie de Kazuhiko et celle de deux jeunes Taïwanaises venues passer deux semaines chez lui, selon le principe du *woofing* (accueil gracieux, gîte et couvert offerts en échange d'une aide aux tâches quotidiennes), comment envisager de quitter dès le lendemain ce petit coin de paradis où, au ressac de l'océan, se mêlent avec tant de joie le rire communicatif de Kazuhiko, ses notes de guitare, d'harmonica et sa voix chaleureuse ? En compagnie de Shanti, le bien nommé chien blanc de la maison, qui fait bon ménage avec un chat tout blanc, ma peau encore blanche malgré les vifs assauts du soleil se sent dans son élément. *Shanti*, *shalom*, *peace*, les maîtres mots du lieu ! Profonde sensation de bien-être et de rassemblement intérieur.

12 juillet – Ainsi soit-il !

Je suis heureuse de cette journée pour me poser, me déposer, me reposer dans ce cadre enchanteur imprégné des bonnes énergies de ceux qui y habitent. Dès les premières heures du jour, un coup d'œil par la fenêtre de la cuisine est comme un mirage ouvert sur un bonheur quotidien : l'océan à perte de vue.

Je suis invitée à assister à une session de surf avec Kazuhiko et une de ses amies, Manami. Quelle beauté de les voir glisser avec habileté et élégance dans le flux et le reflux de ces vagues imposantes, de les laisser m'emmener dans le rythme de la respiration de l'océan ! Une bien belle osmose entre l'homme et la nature. Quel bonheur de plonger dans cette eau fraîche du Pacifique et de sentir mon corps en apesanteur s'amollir dans le ressac de l'océan ! Mon imagination s'éveille et un nouveau paysage se déploie alors sous mes yeux. Les célèbres estampes d'Hokusai, ce grand maître japonais incontesté dans l'art de la vague, viennent se superposer à ce tableau mouvant, m'entraînant dans des rêveries pleines de grâce.

La soirée se poursuit comme la veille, en musique et en chants, agrémentée d'une initiation à la danse hawaïenne Hula menée gaiement par Manami. Encore un merveilleux moment où une unité se fait intimement ressentir. Les paroles de « *Let it be* », des Beatles, résonnent comme une émouvante invocation que nos cinq voix entremêlées donnent à entendre, une musique vivante dont l'instrument n'est autre que le cœur lui-même. Oui, « *let it be, let it be…* », « ainsi soit-il ! » : cela ne m'a jamais semblé aussi juste qu'à cet instant.

Dans la douceur de ce ciel d'été, je me plonge dans la voûte céleste et respire le bonheur d'être vivante, de sentir cette vie en moi, autour de moi, cette respiration unitaire animée par le souffle de la Création, cette grande présence à l'œuvre. Un instant de plénitude, un de « ces rares instants où l'on est heureux de partout[1] ».

13 juillet – Délices

Voici déjà venu le temps de se séparer. Je fais mes adieux à mes hôtes avec un pincement au cœur, et c'est l'âme en peine que je quitte ce petit îlot de paradis terrestre où règne en maître un bonheur simple et rayonnant. Nicolas Bouvier résumait magnifiquement cela : « Voyager, c'est s'attacher et s'arracher. » Nous sommes manifestement émus tous les trois. Kazuhiko m'attire à lui et me serre dans ses bras. Même chose avec Manami. Le bateau s'éloigne et je vois progressivement disparaître au loin ces amis de quelques heures me faisant de grands signes, leurs traits s'effaçant à mesure que l'écume des flots nous sépare.

1. Jules Renard, « 6 septembre 1897 », *Journal*, François Bernouard, 1927.

De retour au port de Mugi, retrouvailles avec la belle route 55 qui longe l'océan à perte de vue. Pendant plusieurs kilomètres, je contemple à loisir la silhouette de Tewa-Djimas, et j'apprécie ce lien qui perdure non seulement par la vue mais aussi par l'écoute de la bande sonore de nos enregistrements de la veille, participation à la mélodie du monde. Effet proustien garanti riche en émotions. Et lorsque ce petit coin de l'univers s'estompe à l'horizon, la reliance par le cœur est, elle, toujours bien vivace et ne s'évapore pas dans les limbes de l'oubli.

Pied droit, pied gauche, pied droit, pied gauche, tchac, claquement sourd de mon bâton sur l'asphalte, gling, tintement cristallin de clochette… La route est belle. L'océan, majestueuse plénitude vacante, aimante mon regard. Je regarde bouger l'écume des flots, telle une danse que la nature offre généreusement à l'homme de passage. J'inspire et j'expire au rythme de l'océan, qui respire et soupire sous mes yeux. La plage disparaît progressivement derrière des digues en béton, protégeant les villageois de la menace permanente des déchaînements redoutés de l'océan. Des panneaux indiquent à intervalles réguliers les abris où se réfugier en cas de tsunami, lorsque l'océan vient submerger la terre avec fureur. Mais aujourd'hui, le Pacifique porte bien son nom. Face au clapotis inoffensif qui vient mourir sur la grève et au calme qui émane aujourd'hui de cet élément, difficile d'imaginer les assauts fougueux de la houle contre le rivage, et la puissance dévastatrice dont le déferlement des vagues peut être capable. Tel un miroir de l'être humain porteur, dans ses entrailles, d'un agneau comme d'un dragon, du meilleur comme du pire, d'une tranquillité inaltérable du cœur comme d'un déchaînement de passions, d'une paix profonde comme d'un éclatement de violence.

La route laisse progressivement place à un décor de carte postale : plage idyllique de sable fin avec ses bars, ses boutiques, ses surfeurs à l'allure stylée attendant la vague. Curieuse impression, avec ma tenue de pèlerine, de sortir d'un autre temps et d'un autre univers.

Tout au long de la journée, les *o-settai** me comblent de leur douceur : entre thés, cafés, sucreries, et même une serviette humide passée au réfrigérateur pour me rafraîchir le visage, j'ai l'impression de baigner dans une intarissable source de fraternité vivante. Que de mains amicales tendues, que de paroles chaleureuses ! Infinie délicatesse du cœur. Un pêcheur en moto s'arrête au bord de la route et m'encourage :

– *Gambatte kudasai ! Kio tsukete* !* (Bon courage ! Prenez soin de vous !)

– *Arigato gozaimasu* !* (Merci !)

Il fait même un aller et retour pour m'offrir une bouteille de thé fraîche et des gâteaux. Toi et moi, nous ne sommes qu'un… Comme si chaque rencontre était une bénédiction silencieuse qui menait à la quintessence de l'être humain. Quelle bienveillance ! Si « au royaume de l'Himalaya, le marcheur est un prince, une divinité, un petit Vishnou[1] », au royaume du mont Fuji, le pèlerin est assurément un souverain, une déité et un petit Bouddha !

Halte de fin du jour dans un coffee-shop où je retrouve Aki, une autre amie de Kazuhiko qui a la gentillesse de me loger ce soir. Aki et son fils de 13 ans ont déménagé il y a un an à Shishikui pour quitter le Nord du Japon et la proximité de Fukushima. Et c'est dans une petite maison charmante, où ils viennent récemment d'emménager, qu'ils m'accueillent dans une ambiance chaleureuse et détendue. Ce soir, c'est cours de langues partagé dans la joie et la bonne humeur : ce garçon au minois taquin s'amuse à prononcer les quelques mots de français que je lui fais découvrir, et lui se plaît à me faire répéter des expressions japonaises en s'égayant de mon accent, malgré toute mon application. Dans la chambre qu'il me prête généreusement, difficile de fermer l'œil tant la chaleur est étouffante. Les pales actives du ventilateur ne parviennent qu'à donner naissance à un souffle tiède dans lequel des nuées de moustiques mènent des chorégraphies endiablées toute la nuit. Ma peau devient piste de danse pour ces vampires assoiffés, me donnant un petit air de boule à facettes au réveil… Pour un 14 juillet, ça me semble raccord !

1. Jacques Lanzmann, *Fou de la marche*, Robert Laffont, 1985.

DEUXIÈME PARTIE

LÉGÈRETÉ À LA CLÉ ?

Temples 24 à 39
Le chemin de l'Ascèse, 修行

Tosa
(actuelle province de Kochi)

Retrouver par déracinement, disponibilité, risques, dénuement, l'accès à ces lieux privilégiés où les choses les plus humbles retrouvent leur existence plénière et souveraine.

Nicolas Bouvier, *Routes et déroutes*

5

À l'école du plein air

14 juillet – Détachement

Bien curieuse façon de célébrer notre fête nationale par une immersion dans l'impressionnante Ascèse, où l'austérité et le retrait des réalités du monde me semblent à leur paroxysme. Aujourd'hui, mes pieds foulent le sol de cette nouvelle étape vers le temple 88. J'y associe un cheminement de purification d'un moi fictif qu'il conviendrait de passer au travers du tamis de la marche pour en extraire la quintessence.

Chemin d'émancipation de mes automatismes de pensées, d'affranchissement de mes toxines et pollutions mentales. Mouvement de libération de mes entraves, de mes attentes, de mes schémas de fonctionnement, de mes assujettissements à des codes sociaux, de tous les carcans qui m'étreignent, de mes certitudes, de mes modes de pensée, des formatages érigés en moi par des traditions, de mes asservissements à une identité conditionnée, de mes identifications à des rôles ou à des fonctions. Étape de désencombrement de mes peurs, de mes inhibitions, des mémoires qui parfois parlent à ma place, de mes états d'« intranquillité » de l'âme (selon l'expression chère à Fernando Pessoa), de mes mouvements passionnels, pulsionnels et émotionnels, des humeurs qui m'habitent. Un passage pour me défaire de mes enfermements et m'alléger de la pesanteur gluante de l'ego. Aiguiser l'esprit et l'amener à s'ouvrir à de plus hauts niveaux de conscience. Me libérer des ornières qui me coupent du vivant, me détacher du mental menteur et faire descendre la tête dans le cœur.

D'ailleurs, au Japon, on retire systématiquement ses chaussures en entrant dans une maison. Un rapprochement phonétique me vient alors à l'esprit, en lien avec cette coutume japonaise bien ancrée à laquelle je suis quotidiennement confrontée : prière de se déchausser, prière de se « déchoser » ? Prière de se désencombrer, de se défaire de tous les oripeaux qui nous alourdissent et nous transforment en choses ? Peut-être s'agit-il de se délivrer de la cotte de mailles qui nous étouffe et nous rend captifs, ou encore de se libérer de nos mirages en tout genre. Serait-ce cela, l'expérience de l'Ascèse ? Se rendre disponible et réceptif ? Laisser, lâcher, abandonner, quitter, s'alléger encore et encore. Comme un passage pour que l'esprit se défasse de ses attachements et le corps de ses endormissements. Vers toujours plus d'accomplissement de son individualité et de paix en soi pour une vie intensément vécue. Un chemin de liberté ?

Cette région du Kochi-Ken est considérée comme l'une des plus sauvages du Japon. Bien que la province ne comprenne que 16 temples sur les 88 du pèlerinage, elle représente plus d'un tiers du parcours. Le chemin suit la côte Pacifique entre le cap de Muroto-Misaki et celui d'Ashizuri-Misaki.

Les côtes battues par les vagues, le front de mer séparé de la plage par une digue de béton et les panneaux indicateurs d'abris en cas de tsunami rappellent partout la menace des colères de l'océan. À chaque rencontre, on n'a aussi de cesse de me mettre en garde contre les typhons dévastateurs qui balayent le ciel de l'archipel avec virulence à cette époque de l'année.

Voilà, en tout cas, qui emplit à nouveau d'humilité mon petit moi face à cette nature majestueuse et ses éléments pouvant faire preuve d'un tel déchaînement. Séismes, raz de marée, typhons, éruptions volcaniques, une série de cataclysmes potentiels. Toute prétention de quelque ordre, grossière vanité ou fatuité insolente se trouvent d'emblée anéanties face à cette force magistrale venue des entrailles de la planète comme du ciel. La chaleur torride m'accable, mon front ruisselle à n'en plus finir. Mes tempes résonnent en écho avec le choc sourd de mon bâton sur le sol. Le macadam me semble être un long couloir qui s'étend à l'infini, et la route suivant les contours de la côte m'enivre de sa monotonie. La brûlure due à la friction de la ceinture de mon sac à dos est intense, et mes douleurs lancinantes aux épaules vont en s'aggravant.

Un début de sciatique commence à se faire ressentir et, de baie en baie, je ne parviens pas à situer ma progression sur mon plan… Tout un cortège de petits maux confus et épars qui, à force de rumination et de ressassement mental, se transforment progressivement en véritables monstres rugissant de l'intérieur.

À mesure que j'avance de guingois, en esquissant une grimace à chaque pas le long de cette nationale à perte de vue, des pensées m'assaillent, s'agitent dans mon esprit et me ramènent vers le cœur de mon être. Comme si une autre réalité extérieure était à découvrir par une érosion progressive des résistances et sédimentations intérieures.

La journée est marquée par une rencontre insolite placée sous l'œil malicieux de saint Jacques : mes pas croisent en effet la route d'un jeune pèlerin qui s'apprête à décoller pour Madrid.

– *In a few days… me… Saint-Jacques, Finisterre, Muxia.* (Dans quelques jours… moi… Saint-Jacques, Finisterre, Muxia.)

– *Eeeeh ! Sugoi* ne !* (Eh ! C'est fantastique !)

– *Buen Camino !* (Bon chemin !)

Sur ces mots surréalistes en ces terres d'Orient, nos chemins reprennent chacun leur direction. Décidément, la vie est joueuse ! Saint Jacques et Kûkai semblent se donner la main et enlacer la planète de leur connivence.

Tout au long de la journée, des voitures s'arrêtent, et leurs conducteurs m'invitent à monter avec insistance, me faisant comprendre que le prochain village est loin, très loin, et qu'avant il n'y a ni distributeur automatique, ni *konbini**, ces supérettes multiservices installées à tous les coins de rue. À chaque fois, je décline la proposition d'un geste poli et souriant devant des regards ronds de surprise dans lesquels se lit en même temps une profonde compassion.

– *Domo arigato gozaimasu*, aruki* henro* !* (Merci beaucoup, je marche !)

Pied droit, pied gauche, tchac, gling… Polyphonie quotidienne de mon être en marche.

Je dois bien avouer que c'est avec bonheur que j'arrive à l'Ozaki Lodge, doux nom de ma halte du soir où l'accueil qui m'est réservé est charmant, plein de délicatesse et de prévenance. Les hébergements sont à chaque fois impeccablement propres, soignés et tenus avec une grande courtoisie. Par comparaison, me reviennent en mémoire certains établissements sur le chemin de Compostelle où le créneau commercial rentable, au vu de la fréquentation de cette voie de pèlerinage, alimente parfois la cupidité de quelques tenanciers peu scrupuleux qui finissent par porter atteinte au respect du pèlerin, manne financière captive.

Je partage le dîner en compagnie d'un couple de *henro** réalisant à pied un tronçon du pèlerinage chaque année, une pèlerine venant de Hokkaido pour le mener à terme d'une seule traite et une autre jeune femme de Kyoto venue marcher trois jours à Shikoku. La discussion en japonais va bon train. Je suis en retrait à cause de la barrière de la langue, mais ne me sens pas pour autant exclue. Et je comprends, aux mimiques grandement expressives, que le sujet en est la douloureuse ascension pour s'élever vers les cimes du fameux temple 12, souvenir mémorable pour tous ceux qui marchent sur les traces de Kûkai. Toi et moi, nous ne sommes qu'un… Expression d'une même humanité au-delà de nos diversités et nos différences. Ta galère et la mienne ne sont qu'une. Tes souffrances et les miennes, tes peines et les miennes, tes joies et les miennes ne sont qu'une, ton épanouissement et le mien, ton bonheur et le mien, tout cela ne forme qu'un… Toi et moi, embarqués sur le même bateau dans une aventure commune. Une injustice à ton égard est une injustice à mon égard. Un acte de fraternité à ton égard vient aussi me toucher. Tout ce qui t'arrive me concerne. Ton sort est intimement lié au mien. La vie est une œuvre collective. Chacune, chacun a une pleine responsabilité vis-à-vis de l'autre. Unité de l'Être au-delà de la pluralité des êtres.

En regardant la lune se lever et faire ondoyer sa lumière sur le miroir de l'océan, je repense à la façon traditionnelle japonaise de bénir le repas d'un « *itadakimas* », les mains jointes inclinées sur la nourriture qui nous est offerte. Bénédiction que je trouve extrêmement touchante. « *Itadakimas* » signifie en effet littéralement « je reçois » : je reçois les fruits de cette terre, les fruits du travail de l'homme, ce don d'une grande présence à l'œuvre. Gratitude ! Louange et célébration à l'égard de cette aventure qui me comble de tant de merveilles !

15 juillet – Sur la voie du Cœur

« Toc toc toc… »

Mon sommeil profond et mes rêves cotonneux sont interrompus à 5 h 30 par un léger frappement à ma porte venant m'avertir que le petit-déjeuner est servi. Oups, j'avais compris 6 h 30 ! Mes trois mots de japonais sont encore bien loin d'être suffisants pour faire face aux subtilités du quotidien. Qu'à cela ne tienne, ma tenue de marcheuse est vite enfilée et me voilà fin prête, l'œil presque vif, face à tous les ramequins de poissons en tout genre, soupe, légumes, riz et autres mets non encore identifiés mais fort appétissants qui m'attendent.

Je retrouve avec joie Tsui-Dje, cette pèlerine originaire de Hokkaido, en marche elle aussi pour le tour complet des 88 temples qui, hier soir, suivait le moindre de mes gestes. Et c'est ensemble que nous prenons la route ce matin. Elle ne parle pas un mot d'anglais et les premiers kilomètres, nous marchons côte à côte dans un silence paisible, précieux ciment d'une amitié naissante. « Goûter le plaisir de se taire ensemble, de se taire côte à côte[1]. » Vérité de la présence à l'autre. Ma compagne de chemin me jette régulièrement des coups d'œil furtifs auxquels s'ajoutent des expressions de plus en plus joyeuses. Les regards questionnent, les sourires se répondent. Au fur et à mesure que nos pas se déploient dans un rythme accordé, la curiosité initiale laisse place à une véritable complicité. Je goûte le miracle de la communication naturelle au-delà des mots. Point de bavardages qui ne laissent aucune trace, mais une communication bel et bien établie, dans une reconnaissance à notre commune appartenance. Bonheur simple d'être ensemble, battement de cœurs accordés, grand calme dans le creuset de notre rencontre silencieuse.

Quelle qualité de reliance, dans cette présence à l'autre ! Quelle intensité, dans cette proximité silencieuse ! Le langage de l'amour fraternel est une langue universelle. Être là, être avec, tout simplement... Entre nous, tout est fluide et limpide. Compagnes de marche, mais aussi sœurs d'un voyage bien plus vaste, à l'origine et à la destination communes, unies dans une même aventure. À travers la puissance de cette connivence muette, je sens surgir une présence autre que la nôtre, bien plus vaste que nous deux.

Nos chemins se quittent après une halte à la grotte de Mikurodo, l'un des hauts lieux du pèlerinage,

---

1. Charles Péguy, *Victor-Marie, Comte Hugo*, Gallimard (« Bibliothèque de la Pléiade »), 1957.

où ma compagne d'équipée manifeste une fervente vénération. À 19 ans, juste avant de partir en Chine et après avoir été officiellement ordonné moine, Kûkai aurait atteint l'illumination en ce lieu. Depuis l'intérieur de la grotte, la vue de la mer et du ciel émergeant de l'ombre aurait été à l'origine du nom de Kûkai, formé des caractères du ciel (*kû*) et de la mer (*kai*), signifiant « Océan de vacuité ».

Route 55 encore et encore… À gauche, l'océan, à droite, le goudron et la partition des moteurs vrombissants… Pied droit, pied gauche, tchac, gling… Temple 24, Hotsumisaki-ji (Cap Muroto), salutation à l'entrée, son grave du gong, *hondo**, bougie, encens, Sutra du Cœur, vœux sur le *fuda**, *daishido**, bougie, encens, Sutra du Cœur, vœux sur le *fuda**, bureau du calligraphe. Pied droit, pied gauche… Montée ardue sur un sentier de sous-bois. Temple 25, Shinshô-ji, (« Port Brillant »), où une volée de marches très raides laisse place à une autre. Répétition de l'enchaînement consciencieux et appliqué de ces gestes devenus une respiration familière. Route 55 encore… Tchac, gling… Route 55, toujours.

L'ombre d'un garage m'invite à une sieste, à l'abri des gouttes qui commencent à percer le ciel de plomb. D'une maison voisine, viennent vers moi une jeune femme et son fils qui, timidement, déposent au creux de mes mains boissons fraîches et parapluie. Autant de gestes bouleversants de générosité et d'humilité. Autant de manifestations d'un amour inconditionnel, léger comme une brise d'été, transfigurant le quotidien en un royaume où la vie est douce.

Le temple 26, Kongôchô-ji (« Sommet de l'Émail »), temple officiel des prières pour la paix et la sécurité de la nation, surgit enfin. Il surplombe la baie de toute sa hauteur. L'endroit est désert. En déambulant, je croise un moine qui m'indique le *shukubo** où règne un profond silence. Alors que je savoure un bain brûlant dans les vapeurs du *onsen**, la porte s'ouvre. J'ai la joie de voir apparaître le sourire resplendissant de Tsui-Dje. Nous sommes aujourd'hui les deux seules invitées du lieu.

Avec pour horizon une vue dégagée jusqu'au cap Muroto, nous partageons, face à face, un dîner digne des plus grands chefs étoilés. Dans une multitude de bols et ramequins aux couleurs chatoyantes, se côtoient poissons grillés, sashimis, légumes préparés avec le plus grand soin, *tofu* en tout genre, soupe, riz, et autres aliments que mes sens d'Occidentale ne parviennent toujours pas à identifier. Le plaisir est visuel avant d'être gustatif. Les plats d'un raffinement extrême s'enchaînent dans une profusion de teintes et un florilège de sensations sur le palais, saveurs délicates régalant tous nos sens en éveil. Nous achevons par un « *gochisôsama* » reconnaissant, cette formule de politesse et de bénédiction qu'il est d'usage de prononcer en fin de repas.

Le soleil se couche et laisse place à une lune éclatante. Les yeux tremblants de fatigue, je m'astreins à l'écriture quotidienne dans mon journal de bord quand j'entrevois, dans l'entrebâillement de ma porte, le timide minois de Tsui-Dje qui s'installe à mes côtés, devant l'immensité de l'océan. Dans la nuit d'été qui s'endort, je sens la fatigue me submerger, mais Tsui-Dje me fait comprendre qu'il convient de garder les yeux ouverts, sans que je parvienne à en saisir la raison. Nous restons donc silencieuses, l'une à côté de l'autre, nos regards embrassant cette superbe vue plongée à présent dans l'obscurité, parsemée d'une foule d'étoiles brillantes, telle une multitude de joyaux célestes. Et soudain, surprise : à tout juste 20 heures, le ciel crépite dans un déchaînement d'éclairs pyrotechniques en l'honneur de l'*Umi no Hi*, la fête de la mer, jour férié célébré le troisième lundi du mois de juillet. Des « oh ! » et des « ah ! » ébahis naissent sur nos lèvres et remplissent l'espace de l'effusion de notre émerveillement commun.

Pensée du soir : « Le bonheur n'est pas dans le but mais dans les fleurs que vous respirez le long du chemin » (proverbe chinois).

16 juillet – Spiritualité vivante

C'est à nouveau en tête à tête que Tsui-Dje et moi nous régalons d'un somptueux petit-déjeuner, préparé par une cuisinière qui vient s'enquérir régulièrement du régal de nos papilles. Devant nos mines plus que réjouies, elle semble rassurée et s'éclipse avec un petit rire contenu. Dans le soleil naissant de ce nouveau jour, l'horizon brouillé par une brume de chaleur confère à la vue sur la baie une beauté nimbée de mystère. Le paysage me subjugue. Le firmament semble se réveiller délicatement de la fête céleste de la veille.

Nous reprenons le chemin tortueux qui descend à l'ombre des sous-bois avant de rejoindre la route 55. Je m'applique à répéter les mots inconnus que mon acolyte tente de m'apprendre, et j'ajoute un refrain à mon répertoire musical japonais : la célèbre chanson *Sukiyaki* de Kuy Sakamoto. Celle-ci, devenue un tube au Japon comme aux États-Unis dans les années 1960, nous berce de sa mélodie langoureuse qui s'accorde parfaitement avec le flux et reflux paisible de l'océan.

Tsui-Dje, un pied fortement enraciné dans la culture animiste shinto, me touche par sa sensibilité, sa spiritualité incarnée dans le moment présent, sa manière d'être au monde, vénération à la matrice de nos origines. En des gestes précis, elle révère les montagnes, les rivières, les sources, les arbres, la terre. À la moindre halte sur un rocher, elle remercie cet élément de l'univers qui l'a accueillie, les mains jointes, le buste incliné, dans une attitude d'humilité, de respect et de déférence. Ce qui provient de la nature est en lien avec le divin. « Commune présence », pour emprunter les mots de René Char, connivence entre l'homme, son créateur et la nature. J'aime cette spiritualité vivante sans portes ni fenêtres, cette spiritualité qui enveloppe toute chose, qui n'a pas besoin de murs, de lieux ou de représentations pour s'épanouir. Aujourd'hui plus que jamais, il me semble urgent de revenir à une spiritualité tournée vers le respect de la beauté sacrée de la nature, en tout, en tous, là où l'humanité tutoie sa plénitude.

Tsui-Dje, une rencontre lumineuse, une présence tournée vers la Lumière, telle une invitation à explorer les parties de mon être reliées à l'Essentiel. Puis c'est en solitaire que nous poursuivons chacune notre route, assurées de nous retrouver à notre hébergement du soir. Je regarde Tsui-Dje s'élancer vaillamment et disparaître au loin.

Entre route 55 et sentiers escarpés dominant la baie, le *ryokan** qui s'approche m'annonce un monde de douceurs et de délicatesses. Mais pour l'heure, je suis tout absorbée par l'effort de la marche, telle une flèche lancée vers une cible lointaine manquant d'élan pour arriver au bout de sa course. Le tintement de ma clochette me ramène sans cesse à l'expérience immédiate de l'ici et maintenant, parfois douloureuse. L'énergie s'estompe à mesure que se déroulent les kilomètres, mon corps s'engourdit, la douleur sciatique s'amplifie. Avancer devient une épreuve et la glaise qui constitue le corps que j'ai, le corps que je suis, semble se disloquer au fil des pas. Pied droit, pied gauche… Direction plein ouest, soleil brûlant de face. Tchac, gling…

Petite pause patriotique dans un village où mon regard se trouve attiré par une échoppe répondant au doux nom de « Pâtisserie française depuis 1991 » dans laquelle j'entre, non sans quelque fierté :

– *Konichiwa*, furansujin desu !* (Bonjour, je suis française !)

L'effet escompté tombe complètement à plat. Le chef ne parle pas un mot de français et n'a jamais mis les pieds sur notre continent. Il est vrai que les pâtisseries exposées ne m'évoquent rien de connu… Je reprends la route, amusée par cet épisode et ces petites manifestations de l'ego qui surgissent inopinément sur ce chemin d'Ascèse.

Me voilà revenue dans le silence qui s'impose – sans pour autant peser. Depuis mes premiers pas sur ce chemin, je suis en effet entrée dans ce silence qui n'est pas synonyme de désolation ni de désertion. Marche méditative, prière continue. J'aime ce temps passé dans le silence de la nature, dans la grande partition de la musique du ciel, des forêts, du bruit sourd de mes pas sur le sol, du tintement cristallin de ma clochette à l'unisson avec le chant des oiseaux. Silence parfois entrecoupé par les annonces de la campagne électorale en cours diffusées par les haut-parleurs de camionnettes ambulantes, à l'intention des villageois isolés et des paysans au travail. J'ai comme l'impression d'un dialogue fécond avec cet environnement et le créateur à l'œuvre. Par ce silence, me mettre à l'écoute de ma petite voix intérieure, de mon maître intime. Écouter ce qui susurre en moi. Un proverbe indien avance que « lorsque la surface du lac est calme, on voit le fond ». Faire silence pour aller à la rencontre de mes profondeurs.

Au *minshuku**, je suis heureuse de retrouver Tsui-Dje, qui a déjà effectué les trois heures de marche requises pour les huit kilomètres de l'ascension jusqu'au temple 27 au nom évocateur : Konomine-ji ou « Pic des Dieux ». Personnellement, mon corps dit stop pour aujourd'hui.

Nous dînons à nouveau en tête à tête, assises en tailleur sur le tatami. Tsui-Dje joint les mains et bénit le repas. Tout au long de cette soirée placée sous le sceau de la complicité, Tsui-Dje m'entoure de sa joie de vivre et de la lumière qui l'habite. Elle déploie des trésors de prévenance qui se traduisent dans d'infimes détails, tel celui de mettre mes pantoufles dans le sens adéquat, pour m'éviter d'avoir à les tourner en sortant ou en entrant dans une pièce. Que de trésors d'humanité ! Un dernier refrain partagé, accompagné par le rire de mon acolyte, un ultime sourire du cœur échangé, tel un flambeau dans l'obscurité, et la nuit enveloppe nos corps pour un repos salutaire.

17 juillet – Reliance

Nos chemins se séparent ici, et Tsui-Dje et moi nous sourions en signe de connivence. Après un dernier silence bien plus fécond que les mots, ce n'est pas sans émotion que je regarde s'éloigner cette part d'elle, cette paire d'ailes qui a cheminé à mes côtés, cet être rempli de joie et de simplicité, dont je n'ai même pas de cliché. Tsui-Dje a en effet refusé toute photo, tel un messager de l'éternité, un ange qui passe, sans laisser la moindre trace matérielle dans son sillage. Je vois sa silhouette s'évaporer dans le lointain. Mais qu'importe ! Son empreinte de lumière demeure en moi d'une vivance tangible et bien réelle. Nous sommes tous des maîtres de vie les uns pour les autres. Merci, chère Tsui-Dje, pour ton enseignement qui continue de me nourrir.

Je laisse mon sac au *ryokan** et ne repasserai le chercher qu'une fois l'aller-retour au temple du « Pic des Dieux » effectué. En pleine ascension, je croise un jeune *henro** en mobylette qui coupe son moteur pour me parler dans un anglais fluide. Il réalise ce pèlerinage en hommage à son grand-père décédé il y a dix ans, qui n'a eu ni les moyens financiers, ni le temps, ni la force physique pour fouler ces sentiers. Nous partageons bonbons au sel et autres confiseries. J'apprécie ces temps de rencontres dans la sincérité et la transparence de nos êtres. Chaque visage, telle une nouvelle histoire à déchiffrer, une mémoire qui se confie et s'abandonne. La qualité de tous ces partages faisant fi des masques, des carapaces ou autres mascarades qui enferment, et finissent par nous barricader dans une étrangeté à nous-mêmes comme aux autres. Cet accès simple et fluide au tutoiement d'un noyau intime commun m'avait déjà beaucoup émue sur le chemin de Compostelle.

À l'arrivée au temple 27, quel enchantement de me trouver dans cet écrin de verdure s'ouvrant sur l'océan grandiose à l'horizon ! Le « Pic des Dieux » ! Tel un encouragement divin à s'élever vers la voûte céleste, je monte un escalier raide de 150 marches, bordées de part et d'autre d'un jardin soigné, et débouche sur une statue de Kûkai qui ouvre des bras réconfortants au *henro** ruisselant de tant d'efforts. « Lorsque tu arriveras au sommet de la montagne, continue de grimper », nous enseigne le *koan** zen.

Cette atmosphère d'infini recueillement est soudainement peuplée de vibrations qui ondoient dans l'air avec puissance, comme un trait d'union entre la terre et le ciel, telle une prière qui s'élève. Un moine accompagne ce gong de ses psalmodies. Quintessence de ces incantations qui viennent caresser ma peau, imprégner ma chair, se diffuser dans la moindre de mes cellules. Je laisse aller ma réflexion et me mets à l'écoute de ce son qui s'estompe de lui-même avant de disparaître. Je me sens comme un instrument accordé : accordé avec les éléments, accordé au silence de cette marche solitaire. L'essentiel n'arrive-t-il pas souvent à l'improviste ? Le poème d'Henri Michaux me revient alors en mémoire : « Je suis gong et ouate et chant neigeux. Je le dis et j'en suis sûr[1]. » Ces vers à la bouche, tel un mantra aiguisant ma réflexion, je repasse

1. Henri Michaux, « Je suis gong », *La nuit remue*, t. I, Gallimard (« Bibliothèque de la Pléiade »), 1998.

chercher mon sac avant de retrouver la route 55 le long du miroitement nacré du Pacifique. Parmi mes rares rencontres du jour, je croise un *henro** de Tokyo marchant depuis trente-cinq jours dans le sens opposé à celui des aiguilles d'une montre, en mémoire de son père décédé il y a trois ans. Toujours cette transparence dans le partage. Plus de frontière. Les masques tombent. Flots de tendresse.

6

La vie en marche

18 juillet – Incarnation

Assise sur mes talons, en position douloureuse pour mes articulations d'Occidentale peu habituée à ce genre de prouesse matinale, je reste subjuguée par le cérémonial du petit-déjeuner traditionnel, composé d'une multitude de plats raffinés. Au sein de cette harmonie d'odeurs, d'effluves, de couleurs et de textures délicates, je découvre ce matin le *natto*, fèves de soja fermentées d'aspect gluant et rebutant, à l'odeur ammoniaquée et au goût de moisissure. Un voyage à part entière pour les non-initiés, surtout au réveil !

Route 55, encore et encore. Je marche sur une piste cyclable en bordure de l'océan. Sérénité de me laisser happer par cet élément qui relie au cycle de l'éternel recommencement, chaque vague laissant place à une autre, chaque expiration donnant lieu à une nouvelle inspiration, ni tout à fait même, ni tout à fait autre. De petites morts en éternelles renaissances.

Je traîne encore la fatigue des jours précédents. Mes douleurs tenaces m'inquiètent quelque peu, mais le moral tient bon. Pourvu, seulement, que la matière de mon incarnation ne transforme pas en calvaire le paradis escompté ! Les étapes deviennent en effet une succession de pauses de plus en plus rapprochées. À chaque fois, je me remets en route presque mécaniquement, le corps affranchi de ma volonté, de mes envies, de mes pensées. Et j'espère bien qu'un miraculeux Bouddha surgira, tel « le Jésus » rencontré sur le chemin de Compostelle, à Santo Domingo de la Calzada, lorsqu'une sciatique m'avait clouée sur place. Ce bien nommé « Jésus » m'avait alors remise d'aplomb après une séance d'étirements clôturée par un « lève-toi et marche ! » plus que concluant, et conforme aux guérisons réalisées par le modèle original. Il faut dire que Santo Domingo de la Calzada est propice aux miracles. Au XIIe siècle, déjà, un jeune pèlerin allemand, injustement accusé de vol suite à un stratagème mené par une servante éconduite, fut condamné et pendu. Ses parents entendirent leur fils proclamer, du haut de son gibet, que, grâce à la protection de saint Jacques, il était sain et sauf. Ces paroles furent rapportées au juge qui était en train de déguster des volailles rôties et qui s'exclama : « Si votre fils est vivant, que cette poule et ce coq se mettent à chanter ! » Alors, le coq chanta et la poule caqueta. Le jeune homme fut dépendu et la servante pendue à sa place.

Longue pause à l'ombre d'un *zenkonyado**, dont le propriétaire me fait cadeau d'un bâton de bambou sculpté par ses soins et orné de lanières rouges entrelacées. Équipée de mes deux bâtons, je reprends la route avec panache, entraînée par la nouvelle symphonie de mon être désormais quadrupède ! Pied droit, tchac, gling, pied gauche, tchac, pied droit, tchac gling, pied gauche, tchac…

Au fil des pas et de ma familiarisation avec ces deux bâtons, je m'amuse à élaborer la « théorie des bâtons ». En voilà la substantifique moelle : si je tiens avec trop de fermeté les deux bâtons ensemble d'une main, ils ne restent pas accolés, ils se dispersent et en plus, c'est rapidement fatigant. Si, au contraire, je les tiens ensemble trop mollement, je ne peux pas non plus avancer avec souplesse et aisance : ils se baladent dans tous les sens, et ne permettent pas d'avancer. La tenue la plus adaptée semble donc être dans le juste dosage entre les deux attitudes. J'y vois là une jolie métaphore des relations, de quelque ordre qu'elles soient : familiales, amicales, amoureuses, professionnelles. Trop de crispation ou d'emprise, ça ne convient pas. Trop de distance, et les liens se distendent. Pour des relations harmonieuses, opter pour la juste mesure. Ni trop près, ni trop loin. Tout est dans la nuance. Cette théorie me sourit.

19 juillet – Joie sincère

Erreurs d'embranchement en nombre aujourd'hui… Elle avait du bon, la route 55 qu'il suffisait de suivre droit devant, sans s'interroger sur l'itinéraire ! Sur la carte, j'ai parcouru officiellement à peu près 30 kilomètres mais en réalité, m'étant égarée à maintes reprises, l'esprit emmené par la contemplation des rizières envoûtantes, j'en ai réalisé bien plus… Embarquée dans cette danse permanente entre concentration sur le balisage de l'itinéraire et distraction dans une causerie intime, je suis aujourd'hui plus bavarde qu'attentive.

En tout cas, je tire mon chapeau aux rares *henro** aguerris qui effectuent cette circumambulation dans le sens inverse à celui des aiguilles d'une montre, où le balisage est nettement moindre.

Temple 28, Dainichi-ji (« Grand Soleil ») : lumière, lumière ! Le temple 29, Kokubun-ji, me séduit par sa quiétude et l'agencement des bonsaïs qui ornent ses allées. Temple 30, Zenraku-ji (« Joie Sincère »). Tous ces noms harmonieux résonnent pour moi comme autant d'invitations à m'emplir de ces qualités, à glaner les aptitudes contenues dans ces appellations, tel un jardinier récoltant patiemment les fruits des soins dispensés jour après jour.

Après les chemins longeant des petits canaux parmi les maisons isolées au milieu des rizières, je suis à nouveau des nationales au trafic dense. Le flot de voitures va grandissant à mesure que la grande agglomération de Kochi se rapproche. Je marche sur un trottoir brûlant, dont le macadam fond sous le soleil de plomb, quelque peu assommée par le vacarme des moteurs, enveloppée dans la fumée des pots d'échappement et de l'air chargé d'humidité poisseuse. Je ne m'attendais pas à une telle circulation dans l'île la plus petite de ce Japon reculé et réputé pour la préservation de ses traditions ancestrales.

Halte au centre d'informations touristiques pour m'enquérir d'un éventuel ostéopathe ou Jésus local qui remédierait à mes douleurs persistantes. L'hôtesse d'accueil effectue une réservation pour demain chez ce qui semble être un chiropracteur, et me réserve une chambre pour les deux nuits à venir. Arrivée à l'hôtel, l'endroit m'apparaît plutôt médiocre. Il est vrai que j'ai opté pour un hébergement bon marché, histoire d'économiser sur mon budget. Quelques cafards se baladent sous mon lit et dans la salle de bains. Je me précipite sur les pantoufles à disposition afin d'asséner de grands coups sur ceux qui sont à ma portée, dans une chorégraphie toute personnelle. Mais dans un premier temps, je n'en fais pas grand cas.

Je passe une soirée chaleureuse dans un café à côté de l'hôtel. Je suis choyée par le chef à l'œuvre dans sa cuisine ouverte sur le bar, et par sa femme. Ils me manifestent leur surprise quand je leur montre d'où je viens, où je vais, et le chemin déjà parcouru sur la carte.

– *Eh ! Aruite* ?* (À pied ?)

– *Haï.* (Oui.)

– *Eeeeh ! Sugoi* ne !* (Eh ! C'est fantastique !)

Nous n'avons que peu de mots en commun, mais la rencontre de nos regards vaut plus qu'un long discours. Comme depuis mes premiers pas au Japon, je ne me sens nullement isolée par la langue, et le dîner fraternel vaut bien plus qu'une discussion à bâtons rompus.

Découverte d'une spécialité gastronomique locale : le *katsuo no tataki*. De la bonite crue grillée sur un feu de pommes et d'épines de pin, accompagnée d'une sauce *ponzu* à base de *yuzu* (le citron japonais), d'ail et de gingembre râpé. Le mets se présente comme des sushis, sauf que l'extérieur est juste saisi et l'intérieur cru et fondant à souhait. Un délice ! Le tout accompagné d'une dégustation de saké.

– *Kampai* !* (Santé !)

Je suis subjuguée par l'esthétique des préparatifs culinaires : le chef, vêtu d'un kimono, manie avec beaucoup de grâce les grands couteaux japonais, dans un enchaînement de gestes minutieux où rien n'est laissé au hasard.

Même si le détachement avec mon réseau de communication habituel n'a aucune importance pour moi, je profite de la connexion Wifi de ce lieu pour allumer mon téléphone. J'ai alors l'immense joie d'apprendre l'arrivée sur notre planète bleue d'un petit Martin chez ma grande amie Barbara. Je partage mon émotion avec mes compagnons du soir, en essayant de leur faire comprendre la raison du ravissement qui m'anime. Nouvelle tournée de saké pour arroser cet événement ! En plus, il est loin d'être étranger à ce pèlerinage, ce petit bonhomme. *In utero*, il avait été témoin de mes premiers pas dans cette aventure japonaise. En effet, j'avais profité d'un séjour chez sa maman, en Haute-Savoie, pour faire la connaissance de Léo Gantelet, l'un de mes « passeurs » vers Shikoku. Bienvenue à toi dans cette grande épopée commune ! Toi et moi, nous ne sommes qu'un… Puissante certitude encore une fois chevillée au cœur.

Retour à l'hôtel où je semble être la seule cliente. En allumant la lumière de ma chambre, je découvre avec horreur une invasion d'énormes cafards, se faufilant jusque dans mon sac à dos et dans mon lit. Beurk ! Il faut dire que nos petites blattes franchouillardes font bien pâle figure à côté de ces monstres énormes et leur 5 ou 6 centimètres de carapace luisante ! Sans plus attendre, je file réveiller les hôteliers, bien décidée à quitter ce lieu avant d'attraper moi-même le cafard… ! En pyjama, les yeux tout ensommeillés, mes hôtes comprennent très vite ce que je leur répète avec véhémence, mon guide de conversation à la main, mimiques de répulsion niveau Actors Studio à l'appui :

– *Gokiburi, gokiburi !* (Des cafards, des cafards !)

Ils sortent alors leur arme fatale, une grosse bombe d'insecticide avec laquelle je n'ai nullement l'intention de partager ma nuit. Sac bouclé et remboursement de ma nuitée en poche, je me retrouve à 23 heures dans les rues de Kochi, en quête d'un lieu où laisser se déployer paisiblement mes songes nocturnes. Après la chaleur terrassante de cette journée, que l'air est doux ! Je sens le souffle d'un vent léger respirer de concert avec la délicatesse de la nuit étoilée, et me porter dans le lit moelleux d'un hôtel situé quelques mètres plus loin. Délicieux sommeil...

20 juillet – Respiration

Cette journée de repos et le passage entre les mains expertes du chiropracteur m'ont été grandement bénéfiques. Quelques fous rires mémorables avec ce praticien pour tenter de réaliser les mouvements qu'il m'indique, les instructions en japonais donnant lieu à de grands flous artistiques pour un non-initié. Sans plus de commentaires !

7

Éblouissement du monde

21 juillet – Allant du corps, élan du cœur

Harnachée d'un nouveau sac à dos, je passe à la poste m'alléger des quelques « au cas où » qui ont réussi, malgré ma chasse initiale aux peurs infondées, à se glisser subrepticement en passagers clandestins. Rajoutons à cela la séance « remise d'aplomb » de la veille, et me voilà requinquée, en amitié avec le corps que je suis. Harmonie du corps, du cœur et de l'esprit. L'une de mes casquettes professionnelles étant la sophrologie, méthode psychocorporelle favorisant l'équilibre de ces trois capitaines, ce principe m'est bien connu. Et c'est le moral au plus haut et l'organisme régénéré que je me remets en marche sous un soleil radieux, qui inonde déjà les immenses étendues alentour.

Un rythme régulier s'établit. À chaque pas se trouve un équilibre – libre est celui qui s'accorde à sa mélodie intérieure. La nouvelle pulsation de mon être quadrupède emplit joyeusement l'espace de sa clochette cristalline.

La journée s'annonce excellente, dans la pleine réceptivité à tous les prodiges que ses heures ne manqueront pas de me réserver. « Parcourir sa route et rencontrer des merveilles, voilà le grand thème – spécialement le tien[1] », comme l'a joliment noté Cesare Pavese.

Un petit tour au château de Kochi, l'un des plus anciens du Japon. Puis balade dans les allées du marché en plein air de Hirome qui s'étend sur plus d'un kilomètre de long, où les stands d'artisanat traditionnel, de produits locaux, de poissons frais ou séchés forment une mosaïque de toute beauté.

J'avance à bonne allure, pleine d'allant du corps et d'élan du cœur. Je n'éprouve ni faim, ni soif, ni fatigue. À peine les premiers pas effectués le long de la route, un jeune homme en costume élégant se précipite à ma rencontre. Comme tous ses compatriotes lorsque la canicule estivale s'abat sur l'archipel, il est équipé d'une main d'une serviette blanche pour éponger la sueur qui perle sur son front, et de l'autre d'un éventail. Il me fait signe de l'attendre devant un *konbini** d'où il ressort quelques minutes plus tard les bras chargés de deux bouteilles d'eau bien fraîche, *o-settai** ! Il m'accompagne quelques mètres avant d'attraper le bus qui arrive à son arrêt.

C'est donc d'un pas léger que je grimpe vers le temple 31, Chikurin-ji (« Bambouseraie »), situé au sommet du mont Godaisan, l'un des temples les plus célèbres de la préfecture de Kochi. Ce lieu pittoresque offre une vue dégagée sur la ville et la baie

---

1. Cesare Pavese, *Le Métier de vivre*, Gallimard, 1987.

d'Urado. L'ensemble des 17 statues bouddhistes abritées dans la salle du trésor est désigné « Biens culturels nationaux ». Je prends le temps de déambuler dans le jardin qui irradie d'une indicible tranquillité. L'immensité du ciel se reflète dans le bassin. Avec le calligraphe, je partage un moment complice autour d'un thé. C'est un véritable enchantement de l'admirer manier son pinceau avec tant de grâce. Aussi légère que les caractères qui voltigent sur la page fraîchement noircie de mon *nôkyôchou**, je me remets en chemin vers le temple 32 pour six kilomètres de paysages variés : pentes rocheuses à l'ombre appréciée des sous-bois, rizières et scènes de travaux champêtres semblant s'inscrire dans un temps suspendu.

La foule est nombreuse au temple du « Pic du Moine » et contraste avec la solitude et le silence qui me sont familiers en ces terres. Chère Solitude et cher Silence, précieux compagnons de voyage, toile de fond privilégiée pour me mettre à l'écoute de la petite voix qui chuchote dans le creux de mon cœur. Les cars équipés d'air conditionné défilent et libèrent une masse compacte de pèlerins aux tenues d'un blanc immaculé, sans la moindre perle de transpiration, à cette heure où le soleil est pourtant à son zénith. Chapeau et bâtons seront ainsi ramenés intacts pour être ensuite exposés dans la *tokonoma*, cette niche située dans la pièce principale où sont placés les objets de valeur.

Je regarde avec plaisir ces *henro**, tout de blanc vêtus de la tête aux pieds, telle une multitude de flocons virevoltant au gré du vent. Neige en plein été, offerte à mes yeux éblouis. Le blanc, couleur du deuil au Japon, symbolise la mort au monde momentanée du pèlerin, son extraction temporaire du tourbillon de sa vie pour le mener vers une autre dimension de lui-même. La veste servait même de linceul en cas de décès au cours du pèlerinage.

Un loupé d'embranchement me vaut le plaisir de faire la connaissance d'une Japonaise qui promène son chien. J'échange avec elle quelques mots en français.

– Vous êtes française ?

– Oui, je viens de Paris.

– *Eeeeh ! Palis !* Magnifique !

Je pensais qu'elle allait juste me remettre sur la voie du prochain temple mais non, elle me fait l'honneur de m'accompagner sur plusieurs kilomètres. Le pas gagne en fraîcheur et le corps entier jubile quand elle m'offre un ravissant foulard entourant une poche de glace.

– Cadeau ! me dit-elle. Japon très très chaud, humide beaucoup.

Décidément, cette journée est placée sous le signe de la fraîcheur ! Tout à l'heure, les pèlerins tournoyaient comme des flocons de neige. Et la glace offerte par cette femme me ravit toujours lorsque j'arrive au temple 33, « Chemin Enneigé ». Mon corps rendant presque toute son eau sous ce soleil brûlant, il m'est difficile d'imaginer ce lieu sous un épais manteau de neige. Et pourtant, j'ai appris que les hivers étaient très rigoureux à Shikoku.

– *Malie-san, Malie-san !*

Mon nom résonne de la porte du *minshuku** situé en face du temple. Je suis attendue par un large sourire. Je fais un aller-retour au temple, pour honorer les rituels du pèlerin qui seront rapidement réalisés, puisque le recueillement du lieu a laissé place à une ambiance festive. Des enfants s'égaient autour d'un jeu consistant à faire circuler de l'eau sans en faire tomber la moindre goutte, en maniant des bambous enchâssés les uns dans les autres.

Retour au *minshuku** Kochi-Ya, où mon adorable hôtesse de 74 ans, aux yeux pétillants de malice, semble être une célébrité sur le chemin. Elle me montre en effet une quantité d'articles qui lui sont consacrés. Je suis encore une fois l'unique *henro** du soir et elle m'accueille avec les plus grands égards. En plus du thé et des gâteaux d'usage, un bain chaud m'attend à mon arrivée. Mon linge sera aussitôt lavé et même repassé, puis délicatement posé sur mon futon. Quel bonheur, la vie de VIP (*Very Important Pilgrim)* ! Ma réservation est faite pour le lendemain chez un certain Koji, avec laquelle mon hôtesse me met en relation téléphonique. Il parle un français des plus fins.

22 juillet – Émerveillement

La température est clémente ce matin et la nature exhale un parfum délicieux. Le paysage dévoile des serres, des rizières, des rivières mélodieuses. Des hérons survolent la plaine. Mon sac se fait léger. Je me sens portée. Telle une estampe japonaise, toute la vallée est inondée d'un soleil qui magnifie les reliefs et met sur un piédestal la beauté du monde. Mes sens en éveil sont subjugués. Mon cœur avide d'explorations est fébrile. Éblouissement du monde !

Il n'est plus question de me percevoir tel le héros d'un scénario de film de science-fiction revivant indéfiniment la même journée. L'indignation face au hiatus que je pouvais percevoir à Paris entre un présent incomplet et une dimension de mon être qui appelait à plus d'espace et à plus d'élévation, n'est plus de mise. Cette impression de sacrifier mon essentiel sur l'autel de considérations accessoires ne me taraude plus.

Je deviens une *henro** de plus en plus aguerrie. Chaque matin, chaque soir, les mêmes gestes : replier son futon, faire son sac, le défaire, se laver, se changer, s'occuper de sa lessive. À chaque temple, les mêmes rituels immuables. Pied droit, tchac, gling, pied gauche… Et pourtant, dans cette pseudo-servitude au quotidien du chemin, ô combien est grand le ressenti de liberté absolue ! Sentiment fort que j'avais déjà éprouvé sur le chemin de Compostelle. « On ne peut asservir l'homme qui marche[1]. »

Temple 34, Tanema-ji. Tchac, gling… Je suis les flèches rouges et m'engage dans la montée vers le temple 35 annoncé par un *kanji** sur un panneau en bois que je reconnais maintenant sans peine. Le temple Kiyotaki-ji m'accueille de son doux nom, propice à l'enchantement pour une imagination fertile : « Source Pure ». Kûkai y serait resté sept jours en prière. Une source y aurait alors jailli, formant un lac paisible. Effectivement, niché dans un écrin de verdure, parsemé de fleurs chatoyantes, le site est plaisant. Mes rituels effectués, je musarde entre les alignements de *jizo* moussus, ces petites statues coiffées d'un bonnet rouge et d'un bavoir, parfois ornées de jouets, qui apportent fécondité, veillent sur les enfants et accordent la longévité. Je savoure la vue sur la vallée cernée de montagnes dont l'ombre se dessine au creux de la brume de chaleur, avant de rejoindre le bureau de la calligraphe où m'attend un grand moment d'anthologie ! Visiblement fort réjouie de voir débarquer une pèlerine française à cette époque où les *henro** se font rares, la calligraphe appose les trois sceaux de couleur rouge et, d'un geste précis, trace à l'encre noire la calligraphie du nom du temple sur mon *nôkyôchou**.

---

1. Henri Vincenot, *Les Étoiles de Compostelle*, Folio, 1987.

– *Chotto matte kudasai !* (Attendez un instant, s'il vous plaît !), me dit-elle en souriant.

Elle disparaît pour revenir quelques instants plus tard chargée d'*o-settai** dans un sac en papier Chanel, s'il vous plaît ! La grande classe ! Au programme : crayons, revues, petites serviettes blanches, canettes bien fraîches, bonbons au sel et un DVD accompagné de trois CD d'un *boys band* japonais (« *Hey ! Say ! JUMP* ») dont l'album caracole en tête des meilleures ventes. Et ces neuf beaux gosses aux traits lisses, idoles fabriquées de toutes pièces dans le tourbillon de la « pop culture » nippone, se voient même consacrer un livre qu'elle manipule avec une infinie précaution, à la hauteur de celle que je témoigne à mon *nôkyôchou**. Clin d'œil amusant : le Mont-Saint-Michel est en toile de fond de ces clichés commerciaux. Et voilà ma calligraphe qui se met à chanter à tue-tête sur le tube « *Come On A My House* » en se déhanchant avec ravissement ! Pour en faire une représentation plus parlante, imaginez une religieuse en tenue entamant une chorégraphie exaltée, sur l'air du dernier tube à la mode d'un groupe de jeunes minets, sur le seuil d'une église. Tout simplement surréaliste ! Allégresse du Vivant !

Moi qui me réjouissais d'avoir allégé mon sac, je repars avec une pochette Chanel dépassant de mon paquetage ! C'est avec un large sourire que je reprends le chemin qui vallonne à travers bambous jusqu'à une baie superbe où je retrouve le Pacifique.

Cet épisode suscite en moi une foule de réflexions quant au subtil équilibre que je perçois entre le fait de se désencombrer et celui de recevoir. Depuis que j'ai délesté mon sac, je n'ai en effet de cesse de recevoir quantité de présents. Peut-être suis-je, de fait, davantage dans la pleine disponibilité. Comme si, en m'allégeant matériellement, je me délestais de milliers de fausses exigences : mon agenda, mes listes de choses à faire, mes habitudes, mes faims inassouvies, mes attachements, le refrain métro-boulot-dodo, etc. Il est effectivement vérifié que pour faire monter un ballon, il faut d'abord alléger la cabine en jetant des sacs de sable par-dessus bord !

Pied droit, pied gauche… Temple 36, « Dragon Bleu ». Il est plus de 17 heures lorsqu'après une ultime ascension, j'arrive à l'hôtel Kokumin-Shukusha-Tosa, murs blancs, volets bleus, architecture grecque typique de Santorin dont le propriétaire a souhaité une fidèle réplique. Cette apparition a quelque chose d'irréel et sent la nostalgie des voyages. Dès mon arrivée, je suis accueillie par une charmante famille de citadins, habitant la banlieue d'Osaka et venue à Shikoku en vacances : Kosuke, un petit garçon de 8 ans, pianiste en herbe et champion de *kendo* (version moderne du sabre des samouraïs), ses parents, sa tante et sa grand-mère. À l'évidence, notre rencontre ravit cette famille – et moi aussi ! Nous échangeons quelques mots en anglais ; les sourires et les regards complices font le reste. Pour la petite histoire, j'aurai l'immense joie de trouver des dessins de Kosuke, accompagnés de photos et de gâteaux, dans ma boîte aux lettres, à mon retour à Paris. Cœur à cœur autour de l'essentiel…

Le propriétaire du lieu me fait partager ses voyages aux quatre coins du globe dans un français impeccable. Il m'accompagne dans ma chambre où je découvre un véritable palace : elle comprend une entrée, une grande chambre en tatamis au fond de laquelle un *shoji*, ce panneau coulissant formé d'un cadre de croisillons en bois et de papier de riz, laisse entrer la lumière de la fin du jour. Elle s'ouvre sur un troisième espace, organisé autour d'une table basse et de deux sièges installés face à un paysage grandiose. Le regard plonge sur la baie et l'immensité de l'océan. Décidément, cet endroit me plaît ! Et je n'avais pas encore vu le bain du *onsen** en plein air, en surplomb du Pacifique !

L'intimité physique permettant une entrée en relation aisée, me voici en tenue d'Ève, à échanger de joyeux « *ohayô gozaimasu** » avec trois femmes croisées dans le vestiaire. Un *noren*, le rideau japonais traditionnel en tissu, s'ouvre ensuite sur une salle de bains carrelée : près de l'entrée, des tabourets et des seaux destinés aux baigneurs, une enfilade de pommes de douche situées le long d'un mur, et, en face, un grand bassin en plein air, la nappe étincelante de l'océan à perte de vue. Seule, en ce lieu qui me subjugue, je ne peux retenir un cri d'enthousiasme.

Je passe une heure à savourer ce bain. Cet endroit est propice à l'émerveillement. Et le dîner qui s'ensuit est du même acabit : éblouissant ! Quant au coucher du soleil… Le ciel rosit d'abord timidement avant de s'empourprer vigoureusement dans un flamboiement de nuances. Miracle qui se perd au-delà du temps… Surgit la beauté du réel dans l'infini d'une présence. Mon cœur tressaille en moi. Un espace insondable frémit dans le tréfonds de mon âme. Je me sens intensément vivante. Nul doute que le divin se cache dans cette communion ! Cette vastitude me parle de moi, de la Vie en moi, du noyau céleste de mon être. Cet instant éphémère me parle d'éternité. Aperçu fugace de l'Éternel.

23 juillet – Gratitude

Levée bien avant le soleil pour savourer la naissance de ce nouveau jour, comme aux premières loges du matin du monde.

Les étoiles de ce ciel d'été s'endorment progressivement. Promesses de l'aube. La magnificence du soleil levant illumine progressivement l'océan et dévoile l'horizon. Je suis éblouie par cette lumière et par les formes mystérieuses qui s'extirpent des ténèbres de la nuit. Contemplation : ce mot s'impose de lui-même, à cet instant. Je respire. Immobilité intérieure, surface plane d'un miroir où pourrait se refléter le chatoiement infini d'une autre dimension. La pensée se tait. Plus de question, plus de doute. Me reviennent à l'esprit ces mots : « L'émerveillement crée en nous un appel d'air. L'éternel s'y engouffre à la vitesse de la lumière dans un espace soudain vidé de tout[1]. » Comme si les puissances divines s'étaient réunies pour composer ici un paysage majestueux, m'invitant à y plonger de tout mon être. Je suis partout, je ne suis nulle part. Je suis tout et je ne suis rien. Telle une dissolution dans le cosmos. Sentiment vertigineux d'être un pont entre deux mondes – un pied ici, un autre ailleurs. Accord parfait. Étourdie face à tant de beauté, j'entre en résonance avec ces vers de Victor Hugo :

> C'est Dieu qui remplit tout. Le monde, c'est son temple.
> Œuvre vivante, où tout l'écoute et le contemple !
> Tout lui parle et le chante. Il est seul, il est un[2] !

Retour aux besoins prosaïques de mon incarnation : j'apprécie sincèrement l'*o-settai** de mon hôte voyageur et garde à portée de main cette bouteille de thé frais. Je me mets en marche, encouragée par une haie d'honneur formée par mes compagnons citadins, sous l'escorte de mon cher petit Kosuke. La route déserte de la corniche, localement bien nommée « Yokonami Skyline », est superbe. La pointe de mon chapeau conique touche l'azur du

---

1. Christian Bobin, *L'Éloignement du monde*, Lettres Vives, 1993.
2. Victor Hugo, « Pan », *Les Feuilles d'automne*, t. I, Gallimard (« Bibliothèque de la Pléiade »), 1964.

ciel, miroir des profondeurs de l'océan en contrebas. Pied droit, tchac, gling, pied gauche… Plénitude, vacuité, flux de la vie qui se donne, « souveraineté du vide », dirait Christian Bobin.

Au *minshuku** Awanasato, à Suzaki, mon hôtesse du soir m'accueille d'un sourire délicat sur son doux visage. Elle me fait l'honneur d'un thé matcha, le célèbre thé vert japonais. Sa poudre fine est obtenue à partir de la mouture de feuilles de thé qui le fait ressembler à une mousse de jade et lui donne sa particularité crémeuse. Saveur raffinée, à l'image de la maîtresse de maison qui se révèle fort soucieuse de mon confort. Tout en elle respire une tendresse infinie.

Ce soir, en m'immergeant avec délice dans un bain chaud préparé par les bons soins de cet être angélique, l'idée m'est venue d'instaurer l'« *arigato* time* », qui deviendra mon rituel quotidien de gratitude. Intérieurement, je remercie. Je m'incline devant le miracle de cette existence qui m'est offerte. Joie de ce temps qui m'est donné sur cette terre. Du plus profond de mon être, je remercie d'abord ma présence au monde. Puis je laisse mon attention parcourir chaque partie de mon corps et lui exprime ma reconnaissance pour son soutien à mon cheminement. Soyez remerciées, mes jambes, de m'avoir conduite jusque-là sans encombre ; soyez remerciés, mes pieds, pour le nouvel élan que vous impulsez à chaque pas ; soyez remerciés, mes yeux, d'imprégner en moi tant de merveilles…

Et vous aussi, mes bras, de m'entraîner, par votre balancement régulier, encore et toujours vers l'avant… Je célèbre la matière dont je suis faite, réceptacle de tous les possibles. Enfin, je me remercie moi-même d'avoir eu l'audace de prendre le large pour m'accorder ce temps sur mon chemin de croissance.

Je rends grâce aussi pour la journée écoulée et son lot d'émerveillements. Je respire et remercie pour cette épaisseur du monde qui s'est déposée en moi au cours de la journée : l'éclat du ciel, le scintillement des feuilles, la mélodie des cours d'eau… Mon corps a infusé dans tous ces paysages qui l'ont imprégné de leurs énergies. « L'esprit du paysage et mon esprit se sont concentrés et, par là, transformés de sorte que le paysage est bien en moi », déclarait le peintre chinois Shitao. Comme un écho au « Cantique des Créatures » de saint François d'Assise… Que soit remercié « messire frère Soleil, lequel est le jour et par lui tu nous illumines ; il est beau et rayonnant, avec une grande splendeur de toi, Très-Haut, il porte la signification » ! Que soit remercié « frère Vent, et par l'air et le nuage et le ciel serein et tout temps, par lesquels à tes créatures tu donnes soutien » ! Que soit vivement remerciée « sœur notre mère Terre, laquelle nous soutient et nous gouverne, et produit divers fruits avec les fleurs colorées et l'herbe » !

Je suis vivante, je suis présente, entièrement là, ici et maintenant, je suis une expression de la Vie ! Rien n'est dû, tout est cadeau, tout nous est pur don ! Les raisons de remercier sont infinies. Plutôt que de prier en balbutiant « s'il te plaît », aujourd'hui je dis « merci ». Oui, merci la Vie, merci pour ton génie créateur, merci de me convier à cette incroyable aventure, merci pour le miracle que tu m'offres à chaque instant, merci pour ce don prodigieux !

Plus prosaïquement, « *arigato** » se prononçant « *aligato* » en japonais, le petit clin d'œil phonétique à l'« aligot », cette spécialité culinaire de l'Aveyron, terre de France où sont plantées mes racines, m'amuse. Et dans ce temps privilégié de gratitude, je me mets en reliance avec le flux de vie de toute une filiation, un lignage bien plus ample que moi, ma famille, cet arbre dont les branches finissent par se perdre dans les méandres du temps, cette « longue chaîne d'amants et d'amantes[1] » qui m'ont précédée et par qui s'est transmise, dès les premières heures de la création du monde, l'haleine bienveillante de cette vie qui m'anime aujourd'hui. Soyez remerciés ! Merci aussi pour votre présence aimante que je perçois à mes côtés, particulièrement dans le silence des chemins où me frôle souvent l'écho de vos joies, vos peines, vos doutes, vos espérances, vos rires, vos chants. Moment de louange élargi à toutes ces figures ancestrales. Se mettre à remercier, c'est peut-être commencer à voir la vie avec un regard paré de neuf.

---

1. Christiane Singer, *N'oublie pas les chevaux écumants du passé*, Albin Michel, 2005.

24 juillet – Rencontres inopportunes

Après un copieux petit-déjeuner, mon hôtesse m'accompagne jusqu'à la porte, me prend dans ses bras et me gratifie en anglais d'un merveilleux « *happy* » appuyé d'un sourire lumineux qui m'attendrit. Offrande d'*onigiri**, ces boulettes de riz, nature ou agrémentées d'algues, de sésame, de saumon ou d'autres saveurs, mais aussi d'une enveloppe remplie de pièces et de bons vœux, à déposer au temple 37. Je suis la route qui ondoie entre tunnels, océan, courbes montagneuses dans un tableau grandiose, et évite ainsi la raide montée dans la forêt dense, et surtout ses serpents en nombre ! En effet, depuis mon entrée dans l'Ascèse, à l'image du chemin lui-même qui serpente entre plaines et sommets, l'île de Shikoku se révèle peuplée de ces reptiles intimidants et pas un jour ne se passe sans que mes pas ne croisent la route de l'un d'eux. Des verts, des noirs, des beiges, des courts, des longs… Un vrai vivarium à ciel ouvert ! Record du moment : dix serpents sur huit heures de marche ! Sur cette voie de dépouillement progressif revêtant des airs de chemin initiatique, voilà de quoi emmener mon esprit dans de grandes réflexions métaphysiques… Ces rencontres inopportunes seraient-elles une suite d'épreuves pour purifier l'esprit, le désencombrer de ses entraves et le mener ainsi vers l'éveil ? Et si ces rampants étaient une métaphore du ténébreux Léviathan qui louvoie dans mon inconscient, des ombres tapies dans mes profondeurs, qu'il s'agirait de dépasser pour avancer, pas après pas, vers plus de réalisation ? Je les considère également comme une métaphore des épreuves rencontrées dans la vie avec lesquelles il conviendrait de ne pas lutter, mais de faire corps pour en découvrir l'enseignement. Ne seraient-ils pas aussi une allégorie de la mue à l'œuvre pour le pèlerin en marche, de la peau neuve dont il se pare à mesure de son avancée ?

Au cours d'une halte fort attendue au premier distributeur automatique de boissons, je fais la connaissance de Tochi, un Tokyoïte de 60 ans, architecte fraîchement retraité et *aruki* henro** lui aussi, mais par tronçons. Nous nous retrouvons quelques kilomètres plus loin et partageons notre pause déjeuner autour d'un plat de *sanuki udon*, ces nouilles de blé fabriquées à la main, réputées pour leur fermeté et leur texture souple, recouvertes d'un bouillon d'algues et servies en soupe très chaude qu'il convient d'aspirer bruyamment. Encore une fois, Kûkai y est pour quelque chose ! Selon la légende, il aurait été le premier à rapporter des nouilles au Japon après avoir séjourné dans la Chine des Tang.

Faisant halte commune au *shukubo** du temple 37, nous ajustons le rythme de nos pas pour marcher de concert cet après-midi. Souffrant de ne rencontrer presque personne, il est ravi de notre complicité pèlerine et retrouve du courage pour parvenir au terme de l'étape du jour. Il parcourt ce sentier par défi physique, mais aussi par ferveur religieuse et pour réfléchir au tournant actuel de sa vie. Ardent militant antinucléaire depuis une prise de conscience post-Fukushima, il porte aussi avec ferveur cette cause dans ses vœux et arbore fièrement sous sa veste blanche le tee-shirt prônant sa lutte.

Arrivés à Iwamoto-ji, le temple 37 (« Origine du Roc »), nous mêlons nos voix pour un Sutra du Cœur. Sur le plafond du *hondo**, parmi 575 peintures colorées, Marylin Monroe côtoie des bouddhas, des fleurs et des paons.

Je prends le chemin de mes songes, les narines enivrées du bonheur des doux effluves du *shukubo**.

8

Passerelles vers la Lumière

25 juillet – Souffle de Vie

Ma joie escorte l'aube et la célébration matinale au temple – sous l'œil langoureux de Marylin Monroe –, à laquelle j'assiste avec Tochi et Marie-Tsuji, une *aruki** *henro** de 27 ans originaire d'Osaka, troisième comparse hébergée au *shukubo**. D'emblée, son humeur primesautière, ses grosses lunettes blanches et ses couettes me plaisent. Marie-Tsuji part en tête et, pour ma part, je prends le temps de faire mes adieux à Tochi qui repart sur Tokyo, visiblement très ému par notre rencontre.

Au cours de notre discussion, Tochi m'apprend la symbolique liée à la grosse cloche en bronze située à l'entrée des temples. Élancer à l'horizontale le gros rondin de bois suspendu à une corde vise à éloigner non seulement les mauvais esprits, mais aussi la part sombre de nos profondeurs. À chaque temple, je m'imprègne de ce frémissement sonore qui remue le tréfonds de mon être et irradie mon corps dans ses moindres recoins. Je reste souvent immobile, les yeux clos, prêtant l'oreille jusqu'à la disparition de la dernière vibration. Souveraineté du silence qui émerge alors. Grand calme. D'ailleurs, Paul Claudel ne voit-il pas dans la cloche « le moyen de faire proprement retentir l'homme et d'éveiller tout entier son vase[1] » ?

La journée est placée sous la bannière du nombre 56. Après l'asphalte brûlant de la route nationale 55, c'est en effet la vrombissante 56 qui est la compagne de mes enjambées durant la trentaine de kilomètres qui m'attendent aujourd'hui. Pied droit, tchac, gling, pied gauche… Le prochain temple est situé à 87 kilomètres de là, ce qui représente, au cours de ce pèlerinage, le plus long trajet entre deux sanctuaires. Montagnes. Océan. Précieux distributeurs automatiques de boissons. Travaux publics jalonnés de balises lumineuses. Agents de circulation proprets veillant sur la sécurité de mes pas à grand renfort de drapeaux et de bâtons agités avec grâce pour réguler la circulation et me frayer un passage, saluée par leurs respectueuses révérences. Rizières que j'aime prendre le temps de contempler. Mes sens aiguisés sont comme happés par ce souffle qui caresse ces étendues d'herbes graciles, leur conférant ainsi un mouvement ondoyant qui évoque pour moi une « ola », danse de particules. Je savoure à chaque fois l'offrande de ce spectacle baptisé par mes soins « ola des rizières », qui élève en moi une joie pure. De Madagascar en

1. Paul Claudel, « La cloche », *Connaissance de l'Est*, Gallimard (« Bibliothèque de la Pléiade »), 1957.

passant par le Vietnam, l'Indonésie ou le Brésil, j'ai, de longue date, été fascinée par le spectacle des rizières. Ces gracieuses tiges de riz qui accueillent, sans la moindre résistance, le souffle de la Vie qui se donne pleinement dans le moment présent : voilà un enseignement digne des grands maîtres zen ! Oooolaaaaa !

La journée se ponctue par une soirée joyeuse dans un *minshuku**, juste en bordure d'océan, résonnant des rires de jeunes sportifs japonais de passage. Mon dîner est un hymne à l'océan : entre sashimis, tempuras de crevettes, poissons séchés et autres dons des profondeurs, quel festin !

26 juillet – Lumineuse bénédiction

Le petit-déjeuner est un digne miroir des agapes de la veille. Divin lever du jour !

Il est 6 h 30 lorsque mes bâtons fendent l'air de leur partition et, déjà, le soleil tape fort, l'atmosphère est lourde. Au bout de quelques mètres, je transpire déjà abondamment. Des perles glissent dans mes yeux et recouvrent mon visage.

L'assourdissante route 56 se poursuit le long du Pacifique, où quelques surfeurs viennent défier les vagues rugissantes de ce monstre d'azur. Je traverse la Shimanto-gawa, la plus longue rivière de Shikoku, sous un ciel chargé de nuages devenant aussi pesant qu'une chape de plomb. Les cigales suspendent leurs chants, les hérons se taisent, l'*aruki* henro** hâte le pas. Un orage menace. Et, dans un déchirement céleste accompagné d'un immense fracas, le ciel se déverse. Des gouttes dégoulinent du rebord de mon chapeau. Des litres d'eau m'obligent à trouver refuge dans un restaurant en bordure de route où, le menu en *kanji** m'étant de peu de secours, je sors mon précieux guide de conversation et, de mon plus bel accent nippon, je me lance :

– *Konichiwa* !* (Bonjour !)

– *Jimoto no meibutsu o onegai shimasu kudasai. Omakase shimasu.* (Je voudrais une spécialité locale, s'il vous plaît. Je vous laisse choisir pour moi.)

« Ô temps, suspends ton vol[1] ! » Une minute hors du temps avant le verdict quant à ma prononciation japonaise… Apparemment, je n'ai pas trop écorché la phonétique : tous les clients, qui avaient interrompu leur repas pour m'écouter dans un silence religieux, se mobilisent en un joyeux conciliabule, chacun y allant de sa suggestion pour me faire vivre une nouvelle expérience culinaire. Le fumet délicieux sortant des fourneaux est gage de bien belles promesses gustatives ! Un gros bol fumant de *udon*, ces pâtes de blé spécialités de Shikoku, plongées dans une soupe, accompagnées de poissons et d'algues, est déposé devant moi. J'ai la surprise de faire la connaissance d'une famille japonaise extrêmement attachante : une femme

1. Alphonse de Lamartine, « Le lac », *Méditations poétiques*, Gallimard (« Bibliothèque de la Pléiade »), 1963.

d'une quarantaine d'années, ses deux enfants et ses parents. Cette jeune femme s'est expatriée aux États-Unis entre la Californie et Washington, où elle est mariée à un pasteur. Avant de partir, elle me prend les mains, me bénit et appelle sur moi la protection de Dieu. Nouvel écho à la prière de bénédiction des pèlerins de Saint-Jacques reçue au Puy-en-Velay. Cette intimité de cœur avec cet être qui, il y a à peine quelques instants encore, m'était étranger, me touche profondément. Je suis émue de ces vœux formulés à mon intention et portés vers le Ciel. Toi et moi nous ne sommes qu'un… Interconnectés. Un même cœur bat dans notre poitrine au-delà de nos différences, un même souffle nous anime. Et si l'orage fait toujours rage à l'extérieur, mon temple intérieur est baigné d'une douce brise, inondé des rayons d'un soleil lumineux…

Après cette longue pause, lorsque je me remets en marche, il pleut encore à grosses gouttes. Une vapeur tiède s'élève du sol. J'amorce la traversée d'un nouveau tunnel, celui de Shin-Izuta, d'une longueur de deux kilomètres… Le bon côté des choses : voilà deux kilomètres à l'abri de la colère des cieux ! La densité du trafic m'oblige cependant à faire preuve de vigilance. Il n'y a ni parapet, ni rambarde de sécurité, et des plaques de béton disjointes en guise de trottoir. Après avoir invoqué la protection de Kûkai, armée de ma lampe frontale en mode clignotant, et épaulée par la présence de mon fidèle compagnon à clochette, je m'engage dans cette sombre percée. La moindre embardée pouvant mettre un terme à l'aventure, je veille à me serrer au maximum contre la paroi. Allez, que la force de Kûkai soit avec moi ! Car il marche à mes côtés, je n'en doute pas. N'est-il pas mentionné, sur mon bâton comme sur mon chapeau, « *Dougyou Ninin* », c'est-à-dire « Les deux vont ensemble » ? Malgré tout, quel soulagement de retrouver enfin le jour et le grand air ! Même la pluie fine qui m'attend à la sortie est bienvenue.

Je m'octroie une pause dans les toilettes d'une zone commerciale, histoire de prendre le temps de me sécher. J'y fais la connaissance de Fuji-san, un *aruki* * *henro** septuagénaire d'une vigueur déconcertante, qui me sourit de ses yeux vifs. Il émane de sa personne un calme que rien ne semble pouvoir altérer. Un halo de mystère enveloppe ce singulier personnage. Il s'est installé dans les toilettes pour y passer la nuit et, en attendant, y fait sécher, sur une corde à linge qu'il a astucieusement attachée, la teneur de son sac dégoulinant. Il transporte une véritable épicerie. Un bocal d'*umeboshi**, ces prunes fripées au goût acide et salé par macération, un autre de poissons séchés, un troisième d'algues déshydratées, des bonbons au sel. Bref, il m'a tout l'air d'un *henro** plus que confirmé, tant par son équipement que par son installation. Et cela se confirme quand nous échangeons nos précieux *fuda** : mon blanc de novice contre son rouge de spécialiste. Ils sont en effet blancs pour le *henro** faisant le tour de l'île pour les 4 premières fois, verts de 5 à 7 fois, rouges de 8 à 24 fois, argentés de 25 à

49 fois, dorés de 50 à 99 fois, et en brocart à partir de 100 fois. Je lui manifeste mon admiration par de francs sourires et des *sugoi** révérencieux face auxquels, tout en retenue, il ne laisse rien paraître.

Un accueil prévenant m'attend à nouveau au *minshuku** de la bourgade de Shimonokae. Mes précieux compagnons de voyage trempés viennent s'ajouter aux chaussures en tout genre sur l'étagère de l'entrée. Grands soins leur sont apportés, ainsi qu'à mes fidèles bâtons. Il convient de leur laver les pieds chaque soir, et de les placer dans une petite niche, place d'honneur dans la chambre. Et même si leur bout commence à être fortement usé par le contact répété avec le sol, il serait sacrilège d'avoir recours à un couteau pour le tailler.

Je retrouve avec joie Marie-Tsuji et sa malice, les traits tirés, épuisée par cette trentaine de kilomètres douloureux. Dans ce pays à la pointe de la haute technologie, je découvre ce soir la machine à laver non automatique. Moment de perplexité complice avec mon acolyte !

Je retrouverai cette ambiance familiale et chaleureuse dans deux jours, le temps d'accomplir l'aller-retour jusqu'au cap Ashizuri-Misaki, le point le plus au sud de Shikoku où se situe le temple 38.

27 juillet – Éclats de rire

Au réveil, je troque les chaussons d'intérieur contre mes chaussures parfaitement sèches. Le ciel annonce une belle journée ensoleillée, voire une chaleur écrasante. La route est belle et m'emporte avec vivacité. Je longe la plage d'Okinohama. Je ne résiste pas au plaisir d'y déposer mes empreintes et de délasser mes pieds dans la fraîcheur du Pacifique. Les familles sont venues pique-niquer, ce samedi. Quelques surfeurs glissent en harmonie avec la mélodie de l'océan. Ce spectacle léger et plein d'insouciance me réjouit.

Séance photos avec un motard qui s'arrête en bordure de route pour venir à ma rencontre.

– *Arigato gozaimasu**, me répète-t-il, avec des courbettes à n'en plus finir.

Je m'aventure sur un sentier sombre, à la végétation touffue, au sol jonché de branchages où les serpents pullulent. Ayant évité de peu de marcher sur l'un d'eux, j'opte finalement pour un détour par la route bitumée. Dans un joli hameau, lors d'une halte à l'ombre salutaire, un grand-père vient m'apporter un thé, dans un cérémonial raffiné, avant de retourner devant son poste de télévision dont le volume sonore me maintient bien éveillée ! Coquette pèlerine de salon que voici : théière d'une main et tasse en céramique de l'autre se sont substituées à ma calebasse.

Pied droit, tchac, gling, pied gauche… Charmantes bourgades et ports de pêche se succèdent. Une autre pause me gratifie d'une invitation à visiter l'aquarium du village, où poissons locaux côtoient requins et baleines. J'y fais la découverte toute prosaïque de toilettes équipées d'un détecteur de présence pour diffuser une douce mélodie de cascade et masquer d'éventuels bruits indésirables. À chaque jour son lot de prodiges ! Décidément, cette journée est placée sous le sceau du rire.

Je passe ensuite à côté d'une petite usine de conserves, devant laquelle une femme est affairée à dépiauter du thon sous un soleil de plomb. Elle interrompt spontanément son travail et, tout en épongeant la sueur qui ruisselle de son front, me prépare une barquette de thon, sauce soja, wasabi et baguettes de concert, que je suis invitée à déguster à l'intérieur de l'usine. Le temps s'arrête. Je fais sensation au milieu des ouvriers, qui suspendent leur tâche et s'asseoient en cercle autour de la chaise que l'on m'a apportée, me fixant de leurs yeux curieux jusqu'à ce que la dernière miette ait disparu de mon assiette.

– *Arigato gozaimasu**. *Oïshi kata !* (Merci beaucoup. C'était délicieux !)

– *Do itashimashte. Gambatte kudasai ! Kio tsukete** *!* (De rien. Bon courage ! Prenez soin de vous !)

Je repars avec, dans mon sac, deux gros thons pour la route. *O-settai** *!*

Un peu plus loin, je croise un groupe de pèlerins qui alternent marche et avancée en bus. Les flashes des appareils photo crépitent, chacun se relayant pour poser à mes côtés.

Après ces rencontres plaisantes, je finis par arriver au cap Ashizuri-Misaki en suivant l'itinéraire des Sept Merveilles. Le lieu est touristique mais de toute beauté. Des vagues impétueuses viennent se briser contre les falaises à pic, surmontées d'un phare d'un blanc de craie. Une table d'orientation domine une falaise de 80 mètres créée par l'érosion du courant de Kuroshio.

Le temple Kongôfuku-ji (« Bonne Fortune du Diamant ») est tout proche de l'océan. Il est dédié à Kamé, une énorme tortue de pierre qui accueille les visiteurs à l'entrée. Le cadre est remarquable. Au centre, un grand bassin, bordé de pierres roses, grises et noires. Autour de lui sont disposés les bâtiments et les multiples statues. Après avoir fondé ce temple, Kûkai y aurait pris un bain dans l'eau chaude provenant d'un ruisseau de montagne qui aurait guéri sa fatigue, donnant ainsi naissance aux sources thermales les plus méridionales de Shikoku, Ashizuri Onsen-kyo.

Le *minshuku** Halto sera le point d'orgue de cette journée. J'y retrouve Marie-Tsuji qui traduit avec beaucoup de gentillesse, dans un sens et dans l'autre, sans exprimer la moindre lassitude. Étant les deux seules clientes du lieu, nous sommes choyées comme des princesses par le propriétaire, un pêcheur extraverti et pompier fanfaron à la retraite, au verbe prolixe, à l'esprit blagueur, charmeur et excentrique. Spécimen inclassable que les mots se révèlent bien pauvres à décrire, tant il faut le voir à l'œuvre ! En tout cas, il est tout émoustillé de recevoir sous son toit deux jeunes femmes. Les habituelles formules de politesse se dissolvent dans des phrases interminables. S'autoproclamant

« *play-boy* », il profite de cette aubaine pour animer la soirée d'un *one man show* mémorable, attendant d'être acclamé par son public féminin. Je suis conquise par le personnage assez marginal dans la société nippone que je découvre. Son attitude exubérante vient questionner mes croyances d'un Japon tout en retenue.

Son épouse nous prépare un dîner somptueux, hommage aux merveilles de l'océan : une multitude de sashimis disposés avec art sur un plat autour d'une bonite élégamment découpée. Une foule d'ornements végétaux complète ce tableau. De la grande gastronomie !

Un autre grand moment fait résonner nos éclats de rire, quand Marie-Tsuji me fait partager ses références cinématographiques françaises :

– « Sophie Malseau », Amélie Poulain, John Lennon…

– John Lennon ?!

Il fallait en fait comprendre « Jean Reno ». On ne devient pas experte en phonétique nippone en si peu de jours !

28 juillet – Générosité

L'heure de la séparation avec notre *play-boy* est venue. Nous le quittons après une séance photos, pour laquelle il s'est endimanché. De petite taille, il pousse la coquetterie jusqu'à monter quatre marches d'escalier pour être à notre hauteur. Nous

nous prêtons de bonne grâce à cette mise en scène matinale. Cette journée se présente sous les meilleurs auspices !

Comme la veille, Marie-Tsuji part en tête. Elle a un rythme plus lent que le mien mais sa résistance m'impressionne : elle ne fait aucune pause avant l'étape du soir.

Pied droit, tchac, gling, pied gauche… Je croise le groupe de *henro** rencontrés la veille, en pleine séance d'échauffements matinaux. Puis, le long de la côte, je prends le chemin des camélias qui régale mes yeux de sa beauté fleurie. Une merveille !

Des voitures s'arrêtent pour me déposer plus loin et, devant mon refus, leurs conducteurs me regardent souvent l'œil éberlué. Un couple me double en voiture et je le retrouve plus loin, les bras chargés de victuailles à mon intention. À maintes reprises, des frères humains m'ouvrent leur porte avec une générosité qui me va droit au cœur. Je découvre le miracle de l'hospitalité envers le pèlerin, prodige quotidiennement renouvelé… Je suis comblée ! Toi et moi, nous ne sommes qu'un… Refrain de mes jours.

Je profite d'un passage devant un supermarché pour en ressortir le sac alourdi de denrées inconnues, aux couleurs, textures et saveurs insolites ayant l'attrait du mystère. Un véritable trésor pour mon déjeuner.

Je retrouve la même route que la veille, en sens inverse cette fois-ci, et donc avec un regard différent sur ce chemin déjà parcouru. Je goûte à nouveau au plaisir de fouler le sable de la plage d'Okinohama. Je fais route commune jusqu'au *minshuku** avec Takhoumi, *aruki** *henro** tokyoïte de 29 ans, parlant un anglais suffisant pour esquisser une conversation. Il me fait rire, par ses manifestations d'inquiétude pour moi et ma sécurité ! Il me prépare même une fiche des numéros d'urgence indispensables à ses yeux : le sien, la police (110) et les urgences (119). Fichtre, il ne plaisante pas, Takhoumi !

29 juillet – Louange à la Création

Une belle lumière aimante mes pas. Le ciel me transporte, de son immensité saphir. La température clémente allège mes semelles.

À peine dix minutes de marche et je vois déjà le premier serpent filer au ras de mes chaussures. J'en rencontrerai plus d'une dizaine aujourd'hui. Record battu ! Heureusement que je ne suis pas opiophobe… Mais la vigilance requise devient pénible à supporter.

Une autre rencontre avec le monde animalier, plus sympathique à mon goût, ponctue mon avancée : je croise la route d'une horde de singes tranquillement installée au milieu de la chaussée, se régalant du riz qu'ils viennent de chaparder. Je repense à mes chasseurs de l'autre jour et fais à présent le lien. Ils déguerpissent à vive allure en m'apercevant. J'avais déjà entendu leurs cris résonner, mais n'avais jamais réussi à les apercevoir. Les cigales s'interpellent également d'arbre en arbre de leurs stridulations intenses, se frottant les élytres avec entrain, choristes infatigables du matin au soir.

La route goudronnée qui longe la rivière Shimonokae-gawa, à travers rizières et collines de cèdres rouges, m'éloigne des rives du Pacifique. Je fais halte dans un abri pèlerin, bienvenu pour le réassort en boissons. L'itinéraire du jour semble en effet dépourvu des distributeurs automatiques dont j'ai pris l'habitude, apparitions bénies pour les rares *aruki* henro** estivaux. Je vois arriver Marie-Tsuji, qui s'accorde une micro-pause avant de s'élancer à nouveau, avec constance.

La petite sente paisible laisse ensuite place à une route plus large et plus fréquentée, où je rejoins Miazuki, un *aruki* henro** d'une trentaine d'années, bien mal en point, épuisé d'avoir parcouru hier une cinquantaine de kilomètres. Il s'est juste octroyé le répit de quelques heures de sommeil à la belle étoile avant de se remettre en marche en pleine nuit, sur le coup de 1 h 30. Impressionnant !

Il est 15 heures lorsque je parviens à mon *minshuku**, ce qui me laisse largement le temps, après y avoir déposé mon sac, de poursuivre de deux kilomètres jusqu'au temple 39, Enko-ji (« Longue Lumière »), dont je vais apprécier la surprise. Aucun escalier, un ensemble architectural de plain-pied : le bonheur tient vraiment à peu de chose pour un *aruki* henro** ! À l'orchestration des cigales viennent s'entrelacer les vibrations du Sutra du Cœur, psalmodié par un groupe de pèlerins. Nature et humanité sont intimement unies dans ce concerto ardent de transcendance. Que c'est beau ! J'écoute, j'accueille, je me recueille.

De retour à mon hébergement, je retrouve Takhoumi qui, fidèle à ses premiers élans, me fait la réservation pour demain au même *minshuku** que lui.

TROISIÈME PARTIE

LA CLÉ DE SOL

Temples 40 à 65
Le chemin de l'Illumination, 菩提

Iyo
(actuelle province d'Ehime)

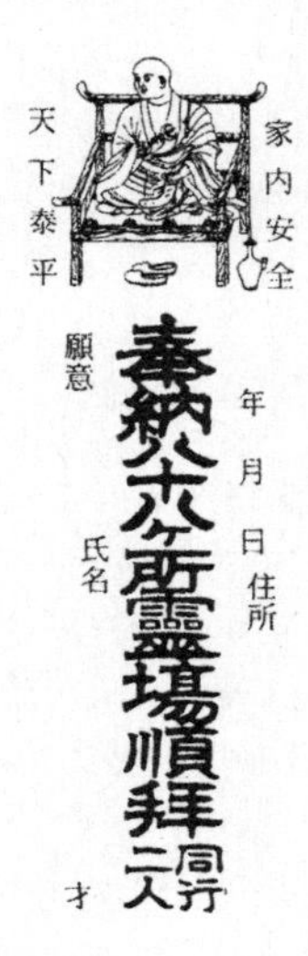

Le miracle n'est pas de marcher sur l'eau, il est de marcher sur la Terre verte dans le moment présent et d'apprécier la beauté et la paix qui sont disponibles maintenant.

Thich NHAT HANH,
La Paix en soi, la paix en marche

9

Saveur d'être

30 juillet – Plénitude de l'instant présent

Je vois la fin de la traversée de l'Ascèse. Cette journée marque en effet mon entrée dans la préfecture d'Ehime. Fait amusant, c'est juste à la sortie d'un ixième tunnel que mes pas foulent pour la première fois le sol de l'Illumination, nouvelle étape vers le Nirvana. Transition de l'obscurité à la lumière. De petites morts en renaissances symboliques. Voilà qui illustre bien le cheminement du pèlerin, ce passant qui va de passage en passage.

À mesure que j'avance sur le chemin et que les calligraphies s'additionnent sur mon carnet, mon pas se fait de plus en plus agile. Mon corps maintenant aguerri à l'effort physique quotidien se délie davantage chaque jour. Mes sens s'aiguisent. Le rythme de la marche est installé. Les heures défilent avec fluidité, suivant la cadence du déploiement de mes pieds.

Je savoure l'exquise impression d'être portée par un souffle léger, d'être accompagnée par les pensées émises vers moi par ceux qui me sont chers, ma famille, mes amis d'âme et de cœur.

L'esprit en roue libre, j'éprouve à la fois une réelle excitation et une douce sérénité. Comme si une étincelle de vie diffusait dans mon être une présence de plus en plus vivante et pointait du doigt les merveilles à l'œuvre. L'infime comme réservoir de bonheur : une halte, une senteur, un regard croisé, un sourire échangé, un geste de la main, un thé offert, une rencontre avec l'altérité. Plus question de percevoir le quotidien figé à l'image des statues de cire exposées au musée Grévin.

J'avance désormais vers un état de conscience d'une autre qualité de présence. Vivre pleinement l'expérience de l'instant.

L'itinéraire devient ainsi de plus en plus introspectif. Chaque jour de marche, telle une nouvelle expérience spirituelle. L'Illumination, ne serait-ce pas transformer l'obscurité tapie en nos profondeurs en lumière, s'abandonner à cette alchimie spirituelle qui consiste à reconnaître nos zones sombres pour les métamorphoser en perles d'or ? « Tu m'as donné ta boue et j'en ai fait de l'or[1]. » Illumination… Prendre conscience de notre nature divine et se tourner, tel le tournesol, vers la Lumière dont nous sommes issus, vers cet astre qui nous guide.

Aujourd'hui, je suis la route nationale 56 en continu jusqu'au temple 40, Kanjizai-ji. À mon

1. Charles Baudelaire, « Ébauche d'un épilogue pour la 2e édition », *Les Fleurs du Mal*, t. I, Gallimard (« Bibliothèque de la Pléiade »), 1975.

arrivée, je partage un moment de complicité avec le calligraphe. Nos tentatives de communication sont ponctuées de dessins appliqués :

– *This is the Eiffel Tower. In Paris, I live nearby.* (Voilà la tour Eiffel. À Paris, j'habite tout près.)

– *Eeeeh ! Sugoi* ne !* (Eh ! C'est fantastique !)

Quand Marie-Tsuji arrive à son tour, le bureau du calligraphe résonne de nos rires. L'approche de l'essentiel ne se signalerait-il par la souveraineté de la joie ?

Je retrouve Takhoumi au *minshuku**, visiblement soulagé de me voir arriver sans encombre. Nous dînons gaiement, tous les trois, dans un restaurant dont les nouilles en libre-service sont la spécialité : on y fait cuire soi-même ses pâtes en y ajoutant l'assaisonnement de son choix. Nous terminons par une dégustation de glaces dans l'enceinte d'un temple où, ce soir, c'est la fête ! Je ne saurais dire pourquoi, cependant… Peu importe, c'est la fête sous les lampions et les flashes crépitent sur les *aruki* henro** de sortie !

31 juillet – Incandescence

Départ à 6 heures ce matin, encouragé par les bons vœux de Takhoumi et les attentions de mon hôtesse pour affronter les quarante kilomètres jusqu'à Uwajima. Je pars le sac alourdi d'un litre d'eau glacée (qui, une heure plus tard, est revenue à l'état liquide) et d'un volumineux pamplemousse.

La route qui longe la côte est fréquentée, mais la vue y est splendide. La luminosité qui croît au fur et à mesure que les heures avancent est magnifique.

Je retrouve avec bonheur la proximité de l'élément marin et son énergie vivifiante. Les kilomètres s'enchaînent avec fluidité. Pied droit, pied gauche… Je profite de ma première pause pour me délester du pamplemousse, mais à peine ai-je fini d'en avaler la dernière bouchée qu'une voiture s'arrête. Me voilà avec un nouveau pamplemousse, encore plus gros que le premier, au creux des mains mais surtout au fond du sac… Et droit au cœur, *o-settai** !

Les villages de pêcheurs se succèdent sur cette côte réputée pour ses huîtres perlières. Mon apparition ne manque pas d'intriguer. Et je me prête de bonne grâce à la litanie habituelle de questions dont les réponses viennent maintenant sans réfléchir :

– *Watashi wa Marie desu.* (Je m'appelle Marie.)
– *Furansujin desu.* (Je suis française.)
– *Paris kara kimashita.* (Je viens de Paris.)
– *Aruki* henro*.* (Pèlerine à pied.)
– *Hitori* (Toute seule.)

Un pêcheur, à la peau fripée comme une coquille de noix, me gratifie d'un « *I love you* » comique à travers son large sourire à deux dents, tandis qu'un de ses collègues m'offre un porte-monnaie rempli de pièces pour étancher ma soif aux distributeurs automatiques.

Le soleil au zénith, la canicule se fait insupportable. La chaleur de l'après-midi est terrassante et le défilé des kilomètres se fait de moins en moins zélé.

Ne serait-ce que tenir mes bâtons, eux aussi brûlants, devient une épreuve. J'ai l'impression de me retrouver au cœur du processus de l'athanor, le four de l'alchimiste dont les flammes œuvrent à la transformation d'un matériau brut afin d'en extraire la quintessence. Oui, je me sens vraiment matière élémentaire soumise aux assauts d'une métamorphose des profondeurs. Y aurait-il de l'or à la clé ?

Depuis plus de dix heures, je suis sur la route et cette journée de marche qui se poursuit à travers des zones commerciales, me semble interminable. En m'endormant, éreintée, je mesure le chemin parcouru. Aujourd'hui, j'ai couvert une quarantaine de kilomètres sous 40 °C à l'ombre. Cette addition m'impressionne !

1er août – Présence vivante

J'expérimente à nouveau la faculté de récupération inouïe tapie dans mon organisme. C'est en effet en esquissant un pas de danse guilleret que je pose les pieds sur le tatami ce matin ! Tout simplement inconcevable en m'affalant sur mon futon hier soir…

Je traverse Uwajima à l'heure où une myriade d'enfants en uniformes se rendent à l'école, à pied ou à vélo. Ils me regardent passer en esquissant un sourire effarouché.

De la route, encore de la grosse route ! Mais aussi des sentiers bucoliques comme je les aime, qui serpentent entre rivières et rizières. Journée de rêve. Les images s'accumulent dans ma mémoire.

– *Hello !* (Bonjour !)

Au temple 41, Ryuko-ji (« Lumière du Dragon »), je fais la connaissance d'Hideya, jeune *aruki* henro** de 34 ans originaire de Shizuoka. Ses cheveux de jais sont attachés en queue-de-cheval et ses yeux ont la malice d'un enfant prêt à faire une bêtise. Son naturel et sa spontanéité rendent sa présence irradiante. Fervent méditant, ce personnage est touchant tant dans son allure que par son mode de vie. Tels les pèlerins d'autrefois, il porte des sandales de paille et marche avec une agilité pleine de légèreté. Son pied souple s'adapte sans peine au terrain parcouru et finit par ne plus se distinguer de l'extériorité. Feuille morte sur les feuilles mortes, roche sur les sentiers pierreux, asphalte sur les routes goudronnées. Il dégage cette impression singulière de ne faire qu'un avec la nature, d'être en symbiose avec les éléments. Son grain de fantaisie me plaît immédiatement.

Nous faisons chemin commun jusqu'au temple 42, Butsumoku-ji (« Arbre du Bouddha »), à travers rizières, collines plantées d'arbres et champs cultivés où se dressent des épouvantails plus vrais que nature. L'ascension dans les sous-bois vers le temple suivant me séduit par sa sérénité. Entre les stridulations des cigales et les craquements des arbres, je me mets à l'écoute de ce concerto de la nature. Spectatrice comblée !

Je recroise Hideya et, à cette symphonie du monde, nous ajoutons l'air de notre joie en chantant à tue-tête un mémorable « *I feel good, tana nana nana na !* », tube bien connu de James Brown, auquel nous ajoutons une chorégraphie personnelle. Sur ce, je laisse Hideya profiter de sa sieste et me remets en route pour passer le col de Hanaga-Toge, avec un entrain démultiplié et ce refrain sur les lèvres. « *Wo ! I feel good, so good, so good !* » Ô combien je m'y sens bien sur ce chemin ! J'y perçois comme une lumière céleste. Je crois que Dieu se promène sur tous les chemins. Il n'est pas seulement accroché sur un mur d'église, en une représentation figée et objectivée. En tout cas, j'en suis sûre, sur ce chemin, il vient à ma rencontre. Ou alors peut-être est-ce moi qui vais à la sienne ? Quoi qu'il en soit, il me semble que l'on se croise souvent, en ce moment !

Dans ma quête d'absolu, nous nous sommes déjà rencontrés régulièrement : face à la beauté d'un paysage ou d'une œuvre d'art, dans des minutes suspendues célébrant les noces du fugitif et de l'éternité, dans des moments de joie souveraine. Le christianisme est en moi, mais se pare chaque jour de neuf, dans un dialogue fécond nourri d'enseignements spirituels divers – de Thich Nhat Hanh à Jean-Yves Leloup, en passant par Karlfried Graf Dürckheim. Et sur ce chemin des temples sacrés, le bouddhisme m'invite à éveiller ma conscience, dans un mouvement ascensionnel qui m'ouvre au plus sacré de moi-même. Cœur dilaté, intensité du mystère, expérience du présent, entrée dans la ferveur… Pèlerinage aux frontières de l'Être.

Dans son écrin de rocher, le temple 43 me subjugue par sa beauté. Meiseki-ji, « Pierre de Lumière » : il porte bien son nom. Je retrouve la grosse route 56 et ses centres commerciaux aux enseignes lumineuses, et il est plus de 18 heures lorsque j'arrive à mon hébergement. Précisons qu'à 19 heures, un *aruki* * *henro** est déjà plongé dans un profond sommeil.

10

La voie du laisser-être

2 août – Vulnérabilité

Le ciel est chargé de nuages masquant l'assaut des rayons du soleil, ce qui change considérablement le ressenti des kilomètres. Pied droit, pied gauche… Nationale bruyante, zones industrielles, voies ferrées. Les conducteurs s'arrêtent en nombre et les *o-settai** se comptent en litres de thé. Je choisis d'éviter cette circulation en improvisant des chemins de traverse dans les bois. Mes pas me mènent alors vers le sombre tunnel de Tosaka, dépourvu de trottoirs et de barrières de sécurité. Je sollicite à nouveau la protection de ce cher Kûkai. J'agite ma lampe frontale et me sens happée par les camions qui me frôlent à vive allure. Ce chemin d'humilité n'a décidément de cesse de me faire mesurer ma vulnérabilité !

Tchac, gling… Je fais un détour vers le temple Toyogahashi. Kûkai aurait passé une nuit sous le pont qui le jouxte ; d'où la tradition de ne jamais marteler le sol de son bâton en traversant un pont, afin de ne pas le réveiller. Mais vu le vacarme assourdissant du trafic alentour, je pense que Kûkai est loin d'être insomniaque !

Quel bonheur de retrouver, en fin de journée, le silence des sous-bois et le spectacle des rizières vacillant au gré de la brise légère… Infatigable danse langoureuse. Et dans cette grande respiration céleste, je sens le souffle du divin.

L'accueil au *minshuku** n'est encore que prévenance. J'y retrouve Takhoumi qui prend toujours très au sérieux le costume de garde du corps qu'il a endossé. Ce soir, nous sommes cinq pèlerins à loger en ce lieu : le record d'affluence depuis mon départ ! La nuit est à l'image de la journée écoulée : sonore. Bercée par le sommeil de mes voisins de chevet dont je suis séparée par de minces panneaux coulissants… Rrrr… Zzzz… Comptant les moutons, les feuilles de thé et les grains de riz jusqu'à l'aube, je ne parviens pas à fermer l'œil. Prenant mon mal en patience, je me remémore quelques nuits d'insomnie dans les dortoirs du chemin de Saint-Jacques, où le niveau en décibels n'a parfois rien à envier à celui des environs de l'aéroport de Roissy.

3 août – Fugacité

Devant des fleurs de cactus, dont la beauté ne dure qu'une journée, ces nouvelles 24 heures démarrent sur un rappel de l'éphémère de notre passage en cette vie. Savourons chaque moment, soyons présents à ce qui est là. Tout est transitoire. Rien n'est à nous. Tout appartient à l'humanité entière. Tout passe et nous ne sommes que des passants sur ces routes du monde… C'est d'une telle évidence, me direz-vous. Certes, mais nous l'oublions fréquemment. Dans la merveilleuse aventure de la vie au présent, l'existence est riche d'aurores chaque jour nouvelles.

En avant marche pour 35 kilomètres ! Pied droit, tchac, gling, pied gauche, tchac… La route est belle et le soleil clément. Allant et légèreté sont de la partie ! Je me laisse porter par cette atmosphère et savoure le silence vivant de la nature, où chaque murmure revêt une importance inaccoutumée. La mélodie des ruisseaux, le grincement des arbres, le chant des oiseaux accompagnent la ritournelle de mes pas jusqu'à Kuma, où m'attend un futon. Et, quelle aubaine, j'arrive en pleine période de fête estivale ! Les rues sont décorées de banderoles et de lampions colorés. Le silence du jour laisse place au martèlement des *taïko*, ces tambours énergiques, qui s'immiscent en moi, en quête de la moindre parcelle à dynamiser. J'admire la virtuosité des musiciens et m'imprègne de la puissance de ces percussions dans la nuit étoilée. Des équipes d'hommes, bandanas autour du crâne, tels des samouraïs des temps modernes, portent de gros troncs d'arbres et rivalisent de rapidité dans une course à travers la ville. Un public en liesse les encourage à grand renfort d'applaudissements.

Au *minshuku**, je retrouve l'une des équipes dont fait partie le propriétaire du lieu. Apparemment, leur performance a été à la hauteur de leurs espérances. L'ambiance est bon enfant. Les hommes éméchés défilent en caleçons, me gratifiant de « *I love you !* » avinés. Ça chante et ça picole.

4 août – Jalonnements

La nuit a été courte, et la mise en route à 7 heures est quelque peu poussive. Qu'importe, la journée qui m'attend ne présente *a priori* guère de difficultés techniques : la route est censée être goudronnée mais facile jusqu'aux temples 44 et 45. Le temple 45 est situé en plein massif montagneux. Néanmoins, on peut y accéder par un chemin plat.

C'était sans compter sur les facéties du chemin. « Si tu es pressé, fais un détour. » Aujourd'hui, ce proverbe japonais m'a nourrie…

Mes pas épousent le goudron jusqu'au joli temple 44, « Grand Joyau ». Et je me retrouve rapidement sur un chemin qui s'élève dans une montée raide. Au loin, un homme fait de grands moulinets avec ses bras et pointe de l'index une autre direction : il m'indique, dans un langage universel, que je me trompe d'embranchement. Je piétine, je perds le fil, et des allers et retours en arrière ponctuent ma progression. Un peu plus loin, un autre croisement m'invite à m'engager dans un sentier abrupt à travers bois. Je peine sur ce chemin montagneux et franchis une succession de cols. Voilà qui contredit mes prévisions initiales de marche sans autre effort que celui de mettre un pied devant l'autre… La route devient rapidement un lointain souvenir. L'ascension est ardue, mon corps s'incline comme aimanté par la terre qui le porte. Je ne suis plus qu'un corps qui avance douloureusement, à l'épreuve de chaque pas qui retombe lourdement, et contient malgré tout en lui-même la ressource du prochain. Élémentaire… Élément terre. Le charme de cet environnement soutient mon avancée. À chaque col franchi, j'exulte, comme prise d'une ivresse des sommets.

Néanmoins, la fatigue m'assomme. Ma gourde est vide et je ne parviens pas à me situer sur la carte. Douloureux écho à la fameuse ascension vers le temple 12 ! Métaphore de mes errances au sens propre comme au figuré. Illustration de la tentation facile d'un raccourci ou d'un itinéraire qu'il suffirait de suivre… Les dénivelés du chemin m'apparaissent comme autant d'échos aux jalonnements de mes vallées et sommets intérieurs pour avancer vers le cœur de mon unicité.

Il est plus de 13 heures lorsque je parviens enfin au temple 45, à bout de forces. L'arrivée est inattendue puisque, pour la première fois, je surplombe le temple, et dois donc descendre une série de marches pour y accéder. L'effort soutenu pour parvenir à ce sommet sublime l'émerveillement. Le chemin plonge dans la vallée où s'offre un site superbe, récompense à cette douloureuse étape.

Il émane de ce lieu une majesté placide. Les édifices religieux lèchent les flancs montagneux. Des grottes accueillent les prières des pèlerins, dans une pénombre où surgissent des bouddhas bienveillants caressés par les flammes de bougies. Je me sens prise de vertige. Une émotion, qui vient s'ajouter à l'accumulation de fatigue de ces derniers kilomètres, m'étreint : des larmes tièdes perlent sur mes joues, pourfendent les volutes d'encens et finissent leur course sur le sol rocheux. Je laisse être, je laisse vivre en moi.

Après une halte ressourçante, je repars, bien décidée cette fois à suivre le tracé de la route et à laisser mes semelles faire corps avec le goudron échauffé. J'opte pour le royaume de l'asphalte. Je rattrape et dépasse un *henro** âgé dont la frêle silhouette est nimbée de mystère. Il tire derrière lui une carriole et avance péniblement. « *Gambatte kudasai ! Kio tsukete* ! »* Toi et moi, nous ne sommes qu'un… Cœur à cœur. Interdépendance, inter-reliance, ces mots me reviennent comme un mantra à chaque rencontre. Unité du genre humain au-delà de la diversité des visages. Il n'y a pas un toi et un moi, simplement un vaste « je suis » collectif relié par d'invisibles rhizomes.

Route numéro 12, route 33… Les kilomètres défilent à travers une luminosité qui sculpte les paysages et dessine les reliefs. Une camionnette s'arrête à ma hauteur. C'est mon hôte du soir qui, inquiet de ne pas me voir arriver, est parti à ma rencontre. Ayant accompli lui-même six fois le pèlerinage à pied, il sait que l'excès de sollicitude est parfois pesant pour un marcheur qui aspire à la liberté, et ne me propose donc pas de monter dans son véhicule. Mais, telle une étincelle de lumière éclairant le chemin, il m'attend à chaque embranchement sur les cinq derniers kilomètres qu'il me reste à parcourir avant de goûter un repos plus qu'attendu. Seule cliente de ce lieu situé en pleine forêt, je suis, encore une fois, plus que choyée.

5 août – Feu ardent

Après une séance photos où rivalisent les poses saugrenues, le départ est chargé d'émotions : la silhouette de mes hôtes qui me regardent m'éloigner disparaît progressivement, emportée dans la brume. Dans la bruine mélancolique du petit matin, mon corps porte encore les stigmates des misères de la veille. Mon pas est poussif, mon humeur est maussade. Mes pensées désordonnées, qui vont et viennent, ont la couleur du ciel : grisâtre. La joie me fait défaut ce matin.

Mais c'était sans compter sur l'heureuse rencontre à venir. Au détour d'un chemin, me voilà nez à nez avec Hideya, « *Mister I feel good* » en personne, qui m'extirpe du tumulte et du brouhaha de mes causeries moroses. En le revoyant, j'ai la délicieuse impression de retrouver un ami de longue date. Je me laisse entraîner par son énergie de vie et son humeur espiègle. Sa flamme me redonne l'élan qui me manquait aujourd'hui. Preuve est faite que nous pouvons être chacun, les uns pour les autres, tel un feu ardent susceptible de se répandre à ceux qui nous côtoient.

Nous nous racontons nos dernières péripéties et devisons sur les prouesses linguistiques animalières françaises et japonaises :

– *What about the frog in French ?* (Que fait la grenouille en français ?)

– *« Croa croa. » And in Japanese ?* (« Croa croa. » Et en japonais ?)

– *« Kero kero. » And the cat ?* (« Kero kero. » Et le chat ?)

– *« Miaou miaou. »* (« Miaou miaou. »)

– *« Nyâ nyâ » in Japan.* (« Nyâ nyâ » au Japon.)

Le rythme de nos pas s'accorde dans un tempo tranquille, et nous marchons ensemble toute la journée avec un plaisir non dissimulé. J'ajoute une chanson à mon répertoire musical japonais : « *Nada Sousou* », un hymne à un amour perdu.

Lassé d'un quotidien à Tokyo ayant pour seul horizon un travail acharné, Hideya revient d'un an et demi passé aux Philippines, où il a enseigné l'anglais dans une école destinée à des étudiants étrangers. Ce pèlerinage représente pour lui une transition vers une autre vie, qu'il remet entre les mains de Kûkai.

Les temples s'égrènent… 46, 47, 48, 49… Il se dégage de ces lieux une sérénité qui inspire les vœux que je porte dans mes prières. Le temple 47, Yasaka-ji, recèle un trésor dans son enceinte : un grand bassin où les fleurs de lotus se déploient en un splendide camaïeu de rose. Je prends le temps de savourer ce spectacle, offert à celui qui s'arrête un instant.

Au temple 49, Jôdo-ji, bien nommé « Paradis », une jeune femme s'adresse spontanément à moi comme si j'étais bilingue. Hideya me traduit :

– *She wants to give you a neck, back and shoulders massage as o-settai**. (Elle souhaiterait t'offrir un massage du cou, du dos et des épaules.)

– *Oh yes ! With great pleasure !* (Oh oui ! Avec grand plaisir !)

Assise sur un banc à l'entrée du temple, quel bonheur de sentir ses mains agiles qui dénouent les tensions accumulées et libèrent un espace où la respiration se fait plus ample ! Mon sac devient tout à coup beaucoup plus léger et mon corps presque aérien.

Nous prenons une longue pause déjeuner à l'ombre d'un parc où des enfants courent entre des jets d'eau. Nous mettons en commun les merveilles que renferment nos sacs à dos : des boulettes de riz aux pamplemousses juteux, en passant par des *mochi*, ces gâteaux à base de riz gluant, c'est un véritable festin. Partagé, il se révèle encore plus savoureux. Nous finissons nos agapes par un *Garigarikun*, une glace à l'eau très désaltérante, à la couleur bleue fluorescente et au goût bien chimique, qui deviendra dès lors la raison de multiples haltes aux *konbini**.

Nous traînons. Nous nous régalons de la température clémente et multiplions les arrêts, comme pour prolonger la saveur de ce temps passé ensemble. Et la journée est déjà bien avancée quand nous arrivons au temple 50, Hanta-ji (« Extrême Occupation »). Nous ne savons pas encore que ces instants seront les derniers partagés, mais nous les dégustons intensément, et nos rires battent la mesure de nos pas. Hideya prend le chemin du *onsen** voisin, tandis que je poursuis le mien jusqu'à Matsuyama, capitale de la préfecture d'Ehime. Je quitte les hameaux paisibles pour plonger dans l'animation de la plus grande ville de l'île de Shikoku, et son ballet frénétique de voitures qui saluent mon passage.

Vu l'heure tardive, je me dirige directement vers la Sen Guesthouse où m'attendent une atmosphère conviviale et l'accueil chaleureux de Nori et Matthew, son compagnon. Ce dernier m'explique :

– *I come from Texas. I fell in love with Japan after my pilgrimage of the 88 temples. I first sat down in Osaka in order to give English lessons. Then I met with Nori and we opened this guesthouse in Shikoku.* (Je viens du Texas. Je suis tombé amoureux du Japon après mon pèlerinage des 88 temples. Je me suis d'abord installé à Osaka pour donner des cours d'anglais. Puis j'ai rencontré Nori et on a ouvert cette auberge à Shikoku.)

– *And Nori, do you walk this pilgrimage too ?* (Et Nori, tu as toi aussi accompli ce pèlerinage ?)

– *Not yet, but we walked together till Compostelle on the Camino Francés. And next year, we would like to make the French part starting from Le Puy-en-Velay.* (Pas encore, mais on a marché ensemble jusqu'à Compostelle sur le *Camino francés*. Et l'année prochaine, on aimerait accomplir la partie française à partir du Puy-en-Velay.)

Décidément, quelle complicité entre saint Jacques et Kûkai !

Matthew et Nori s'empressent de prévenir mon hôte de la veille, qui les a appelés à maintes reprises dans l'après-midi pour savoir si j'étais bien arrivée. Touchante attention.

L'endroit est sympathique mais, alors que j'appréciais jusque-là l'absence de contacts avec d'autres Occidentaux, la présence en nombre d'étrangers, mes semblables en ce lieu, m'incommode. J'entends même parler français ! Oui, j'en suis aussi, je sais bien, mais quand même… Je savourais être loin de mon monde.

Je m'installe rapidement et me hâte de retrouver mon immersion. La balade abonde en anachronismes cocasses. Dans le quartier fréquenté des sources d'eau chaude, la foule locale déambule dans des kimonos rivalisant d'élégance, *geta* (chaussures traditionnelles) aux pieds, éventail dans une main, et tablette multimédia dans l'autre… Cherchez l'erreur ! *Idem* pour la gastronomie japonaise du soir, un peu décalée : assise sur le tatami aussi gracieusement que me le permettent mes muscles, hamburgers et thé vert au menu, le tableau est insolite.

11

Fragments de sagesse

6 août – Douce langueur

Le soleil est déjà haut lorsque j'émerge de mon futon. Aujourd'hui, je me pose, je me dépose, je me repose. Enfin… seulement après avoir accompli mes devoirs de pèlerine au temple 51, Ishite-ji (« Main de Pierre »). Loin de la quiétude habituelle des temples, ce sanctuaire, dont certains bâtiments sont classés « Trésors nationaux » et « Biens culturels importants », accueille une foule de guides et de touristes. Ça grouille en tout sens autour d'une imposante pagode à trois toits. L'air est chargé de parfums d'encens entêtants. La route couverte qui y mène est jalonnée de restaurants, de boutiques de souvenirs et de spécialités locales, tel l'*oyaki*, un gâteau sucré fourré à la pâte de haricots. Ce lieu me semble davantage tourné vers le commerce que vers le recueillement. Prise d'étourdissement face à ce capharnaüm de marchands du temple, je ne me sens pas en harmonie avec cette atmosphère et, après être passée par le bureau du calligraphe, je ne m'attarde pas.

La journée de repos, digne de ce nom, peut enfin commencer par les plaisirs des bains à la source thermale du Dôgo Onsen. Avec ses trois mille ans d'histoire, cette source thermale est la plus ancienne du Japon. On prête des vertus thérapeutiques à ses eaux riches en soufre réputées dans le traitement des rhumatismes et des névralgies. Le bâtiment principal est un édifice de trois étages, à l'image d'un château. Il a d'ailleurs inspiré la maison des bains dans le film d'animation *Le Voyage de Chihiro* de Hayao Miyazaki, et occupe une place de choix dans l'œuvre littéraire de Natsume Sôseki, auteur japonais qui figure sur les billets de 1 000 yens.

Selon la légende, la source aurait été découverte grâce à un héron blessé à la patte qui se serait baigné dans les sources du Dôgo et en serait ressorti guéri. Voilà qui s'annonce de bon augure pour des jambes de pèlerine ! Avant de déguster, sur les tatamis, thé vert et *senbai* (galettes de riz) en *yukata**, je savoure l'expérience du bain public traditionnel japonais dans le *kami-no-yu* (littéralement le « bain des dieux »), orné de mosaïques représentant de graciles hérons. Dans ce cadre pittoresque, les muscles se détendent et j'espère bien ressortir les jambes fringantes, parée pour un nouvel envol, à l'image de la statue du héron blanc qui trône au sommet du bâtiment principal. Amolli par cette atmosphère vaporeuse, mon esprit s'évade en des temps où la famille impériale venait s'y détendre. Pur moment de ravissement…

Je ne pouvais pas repartir de Matsuyama sans être passée par le mont Katsuyama qui domine la plaine. Il est coiffé par l'un des douze châteaux construits dans les années 1600 qui sont encore debout de nos jours. J'avoue avoir délaissé le sentier qui conduit au sommet et opté pour le funiculaire aller et retour, et même pris le tramway pour retourner dans le centre-ville. Je me sens bien davantage touriste que pèlerine aujourd'hui. Mais j'admets que, de temps en temps, ce n'est pas désagréable non plus. Le château est superbe et l'intérieur offre un réel attrait : expositions sur l'histoire de la ville et de l'édifice et vue imprenable sur la cité. La mer et les montagnes se rejoignent dans une superbe estampe.

De retour dans le quartier central, je déambule là où me portent mes pas et, intriguée par un regroupement, me voilà invitée à plonger mes pieds dans l'un des *ashi-yu* disséminés dans la ville, ces bains de pieds qui partagent la même eau thermale que le Dôgo Onsen. Je barbote pour mon plus grand plaisir, et tente une communication avec les propriétaires des pieds voisins. Décidément, cette ville est un paradis pour remettre les pèlerins d'aplomb !

La journée se termine sur le toit de l'auberge de jeunesse en compagnie de Nori, Matthew, quelques Japonais en vacances, un Suisse et un Allemand, à admirer le coucher de soleil qui embrase les cieux. Même si l'ambiance internationale est des plus conviviales, il me tarde de revêtir ma tenue de pèlerine et de reprendre mon chemin en solitaire sur les pas de Kûkai.

7 août – Saveur du silence

6 heures. Me voilà fin prête, pressée de reprendre mon fil d'Ariane. Joie du corps porté par une énergie qui se déploie dans l'aisance.

Finalement, aujourd'hui, je ne serai pas seule mais accompagnée par Paulo, un Suisse italien de 26 ans qui souhaite découvrir le chemin le temps d'une journée.

Jubilation de retrouver cet élan du petit matin, à l'aube d'une nouvelle journée nomade. Quel bonheur de renouer avec la lumière rasante du lever du jour ! Je respire amplement, à l'unisson avec le souffle de l'univers.

Mais qu'il m'est difficile d'être accompagnée par le flux incessant de paroles de mon compagnon, aussi charmant soit-il... Ô combien j'ai pris goût au silence de ma solitude librement choisie ! D'un naturel plutôt bavard (doux euphémisme !), partir seule deux mois durant constituait un défi. Me retrouver face à moi-même, à la découverte d'une région inconnue de mon être était une gageure à relever. Et, au fil du temps, s'est développé en moi le goût du silence. Chaque jour a laissé place à une écoute de plus en plus fine, grâce à laquelle j'entre dans un dialogue fécond avec l'intensité du mystère.

Le temple 52, Taizan-ji (« Grande Montagne »), invite à la flânerie. Entouré d'un grand parc, le site est beau et il me plaît de retrouver le calme de ces lieux de culte. Je suis brusquement happée de mes rêveries par une voix qui m'interpelle :

– *Eh Marie ? I heard about you ! So happy to meet you !* (Eh Marie ? J'ai entendu parler de toi ! Je suis tellement contente de te rencontrer !)

Me voilà face à une jeune Coréenne qui répond au nom de Jienn, *aruki** *henro** elle aussi, dont les yeux pétillent. Son visage tout rond est entouré d'un bandana noir et blanc qui le protège du frottement du chapeau. Avec son étendoir à linge accroché à son sac, fier étendard de sa liberté, son équipement de camping et sa bombe lacrymogène à portée de main, elle n'est pas là en dilettante. Elle est donc partie, elle aussi, du temple 1, avec l'intention de mener le pèlerinage à son terme. Plusieurs de ses amis se relaient pour faire un bout de chemin à ses côtés. Son acolyte du moment est en train de soigner ses ampoules et de rafistoler les lambeaux qui font office de pansements. Le pauvre souffre le martyre pour suivre le rythme de cette marcheuse bien rodée, mais il me fait comprendre avec humour qu'il a bon espoir d'avoir déjà perdu un peu de son ventre rebondi.

Nous les retrouvons au temple 53, Enmyo-ji, situé à moins de trois kilomètres de là. Aujourd'hui, pause déjeuner en grande pompe au comptoir d'un restaurant de sushis où le chef cisèle en fines lamelles les objets de notre dégustation. Sushis authentiques, bien loin de ceux servis dans certains pseudo-restaurants japonais que je connais à Paris. Du grand art. Un véritable spectacle accompagné des cris joyeux de ses quatre enfants qui nous dévisagent avec curiosité, tout en jouant sur les tatamis voisins.

Je passe saluer mon hôte du jour et son *golden retriever* dans le quartier du port de Hojo et dépose mon sac dans cette pension de famille où règne un joyeux désordre. La journée se termine sur l'île de Hojo Kashima (littéralement, « l'île aux Cerfs »), à une minute de ferry de la côte. Effectivement, cerfs, biches et faons se promènent en toute liberté sur cette terre bordée d'eau. Nous sommes invités à en faire le tour en bateau. Cette île attire de jeunes Japonais venus profiter des joies de la plage de sable dans un cadre sauvage. Quel plaisir de succomber au bain dans la baie !

Retour sur la terre ferme de Shikoku. Le dîner partagé avec les deux autres occupants hébergés en ce lieu est des plus chaleureux. Ils travaillent sur un chantier de construction non loin de là, depuis plusieurs semaines. Les rires de mes complices s'amplifient à mesure que se vident leurs bouteilles de bière. Quant à notre hôte, c'est un personnage atypique. Il a vécu en Australie dans sa jeunesse. Chez lui, tout est fait maison, du mobilier à la vaisselle, et il vit en autosuffisance revendiquée. Il se positionne aussi comme fervent militant antinucléaire et, dans un acte de résistance, il s'est endetté pour équiper sa maison de panneaux solaires.

8 août – Main ouverte et cœur dilaté

Je me mets en marche aux premières lueurs du jour. Un thermomètre indique déjà 35 °C et le soleil est encore bien loin d'être à son zénith…

Je longe la route côtière. Le bleu de la mer Intérieure aimante mon regard au-delà des raffineries pétrolières, de leurs torchères rouges et blanches et des gros chantiers portuaires. Dans le lointain, j'aperçois les rivages de Honshu, la plus grande île du Japon, et les contours de la côte au niveau de la ville tristement célèbre d'Hiroshima.

Je croise à plusieurs reprises deux pèlerins d'une soixantaine d'années avec lesquels s'esquisse une conversation appuyée de sourires polis :

– *Atsui desu, ne ?* (Il fait chaud, n'est-ce pas ?)

– *Haï, mushimushi.* (Oui, il fait une chaleur humide étouffante.)

Immédiatement, on se reconnaît membres d'une même communauté – et ce, quelles que soient notre culture ou notre croyance : celle des pèlerins en marche. Peut-être est-ce là pur fantasme de mon imagination, mais ce ressenti m'avait déjà frappée sur le chemin de Compostelle. Lorsque des pèlerins se rencontrent, émerge cette reconnaissance entre individus dans une universelle quête de sens, cette connivence qui rassemble au-delà de toutes les différences, cette unité au-delà de toute diversité.

Lorsque j'arrive au temple 54, Enmei-ji (« Longue Vie »), il n'y a qu'un seul pèlerin : un jeune Japonais qui poursuit en moto les traces de Kûkai, en pleine incantation devant le *hondo**. Je me repose sur un banc où il vient me rejoindre. Toujours cette même complicité, qui s'établit naturellement. Nous échangeons quelques mots et il me remercie pour ce moment « *ichigo ichie* ». Cette expression se traduit littéralement par « une chance, une rencontre » ou, en d'autres termes, « chéris chaque rencontre car elle n'aura lieu qu'une seule fois ». Voilà qui illustre bien l'idée de fugacité chère au bouddhisme zen. Par extension, je cueille là encore un bel enseignement pour vivre le quotidien dans la richesse infinie de chaque instant. Oui, seul l'instant présent existe. Vivons-le pleinement, accueillons-le dans son mystère, la main ouverte et le cœur dilaté. Notre passage est tellement fugace…

J'accueille et me remets en marche, me nourrissant de ces réflexions quand, quelques kilomètres plus loin, je suis arrêtée sur la route par un policier qui régule la circulation. Talkie-walkie d'une main, drapeau de l'autre, coups de sifflet stridents, il fait interrompre travaux et circulation pour accompagner ma progression et m'escorte sur plusieurs mètres. À nouveau, je me sens une *Very Important Pilgrim* !

Au temple 55, Nankobô-ji (« Lumière du Sud »), une fois passée la belle porte d'entrée, il y a, là aussi, un seul pèlerin qui se recueille. Parti de Kochi, Tomoyuki, jeune enseignant de 29 ans, profite des vacances scolaires pour faire une partie du pèlerinage en mobylette. Afin d'économiser l'hôtel, il s'apprête à passer la nuit dans un café ouvert sans interruption où le concept est le suivant : mangas à disposition et ordinateurs en libre accès.

La journée se termine sur une note festive dans l'enceinte même du temple, où danses hawaïennes et repas partagé sur l'esplanade créent une ambiance décalée au sein de ce lieu sacré.

12

Chant de la Vie

9 août – Écoute vigilante et pleine présence

Ce nouveau jour est placé sous le signe des rencontres. D'abord, au temple 56, Taisan-ji (« Montagne de la Paix »), je retrouve mes deux papys pèlerins de la veille. Chaque fois, cette délicieuse impression de revoir des complices de longue date.

Certes, nos échanges ne vont toujours guère plus loin :

– *Atsui desu, ne ?* (Il fait chaud, n'est-ce pas ?)

– *Haï, mushimushi.* (Oui, une chaleur humide étouffante.)

Mais ils vont briller aujourd'hui en filigrane dans le déploiement de nos pas. J'avoue que, vu l'âge de ces *henro**, leur vigueur m'impressionne.

Le temple 57, Eifuku-ji (« Bonne Fortune et Prospérité »), lieu de prières à l'intention des marins, est envahi par un groupe de pèlerins en car, tous recueillis devant le *hondo**. Enfin, presque tous… Un grand-père malicieux laisse en suspens la récitation du Sutra du Cœur pour me prendre en photo.

Assise sur un banc, à l'entrée, je me laisse bercer par le concert des mantras associés aux stridulations des cigales, quand j'ai tout à coup la surprise de voir un couple de *aruki* henro** occidentaux franchir le porche : vision presque surréaliste ! Je vais joyeusement à leur rencontre et me lance dans une communication enthousiaste en anglais, quand ils m'arrêtent net dans mon élan, d'un ton ne laissant aucun doute :

– Vous êtes française ?

– Euh... ben oui ! Je m'étais pourtant appliquée en vous réservant mon plus bel accent ! Vous aussi, vous êtes français ?

– Non, on vient de Zurich, en Suisse. On est partis à pied du temple 1, objectif le temple 88. Enfin, vu la chaleur, on s'accorde, de temps en temps, des avancées en train.

J'ai grand plaisir à renouer avec la langue française et à pousser la discussion un peu plus loin que les considérations climatiques du jour. C'est donc ensemble, portés par le flot de nos paroles, que Marianne, Olivier et moi grimpons les 500 mètres de dénivelé en direction du temple suivant, Senyuji, sans même sentir l'effort à fournir. Et pourtant, nous dégoulinons !

En pleine ascension, nous sommes rejoints par le charmant Tomoyuki qui, frais et dispo, arrête le moteur de sa mobylette pour nous encourager et nous ravitailler en thé froid. Après un chemin escarpé longeant un torrent, une statue de Kûkai, perchée sur un promontoire, salue notre arrivée au temple 58. Temple de l'« Ermite en Méditation », cet écrin plein de charme, au sommet d'une montagne boisée, me plaît. Lieu parfait pour une halte partagée, à l'ombre des arbres, avec vue sur la plaine côtière, le golfe d'Imabari et la mer Intérieure.

Les kilomètres de l'après-midi, même en descente, sont accablants de chaleur. Et c'est avec plaisir que je m'attarde chez Tadasuke, son épouse et leur petite fille, rafraîchie d'une savoureuse glace maison. Tadasuke tient une boutique de souvenirs à côté du temple 59. Il a lancé une initiative qui me touche : il offre aux *henro** une serviette, sur laquelle il brode les mots qui l'accompagnent dans sa marche, avant de les prendre en photo. *Henro** et serviette brodée viendront ensuite alimenter une page Facebook[1] sur laquelle une communauté de pèlerins écrit collectivement un dictionnaire où le verbe se fait porteur de vie. J'aime ce moment de retour à soi. Prendre davantage de temps pour « être », plutôt que pour « faire ». Mais qu'est-ce qui, à cet instant, chante dans mes cellules ? Que me susurre la voix de mon guide intérieur ? Ce sont le mot « harmonie », et le proverbe japonais « *Ichigo ichie* » (littéralement « Une chance, une rencontre ») qui s'imposent à moi naturellement. Cette pause me parle et fait résonance avec la méditation de pleine conscience que je pratique assidument depuis quelques mois. Suspendre un instant mes activités, m'accorder le temps d'une halte pour reprendre contact avec le moment présent

1. Tadasuke Tokunaga.

et me connecter à mon noyau intime. Puis cultiver cette intimité avec moi-même, dans un processus d'observation paisible de mon paysage intérieur. Respirer, immobile et silencieuse. Écoute attentive et présence pure. Rentrer dans « le silence, ce cadeau des anges dont nous ne voulons plus, que nous ne cherchons plus à ouvrir[1] ».

Une scène me revient alors en mémoire : la soif inassouvie par mon quotidien sédentaire m'a conduite à faire mes premiers pas dans le monde de la méditation selon la tradition orthodoxe de la Prière du Cœur, à l'abbaye de Sylvanès, dans l'Aveyron. Je n'avais alors curieusement pas réalisé que cette session de quelques jours allait se dérouler en silence. Hum… La parole est à nouveau à Freud… Alors qu'aujourd'hui, j'apprécie de demeurer en silence, quelle épreuve ce fut jadis ! Je lui ai résisté de toutes mes forces et n'ai finalement rencontré en moi qu'un va-et-vient incessant de pensées éparses. Bien loin de la paix escomptée et du calme intérieur supposé. Le phénomène est bien connu des apprentis méditants, même si les contemplatifs aguerris n'en sont pas épargnés non plus.

Cette halte chez Tadasuke m'invite encore un peu plus à prendre soin de ce silence pour laisser s'exprimer en moi cette part détentrice de mon mystère.

---

1. Christian Bobin, *L'Homme-joie*, Éditions de l'Iconoclaste, 2012.

Me mettre à l'écoute de mon diapason intérieur pour m'accorder au chant de mon être. Quelles balises aimantent mon cœur, en ce moment ?

Et si nous osions quitter l'autoroute de nos conditionnements et les sentiers battus du bonheur de masse ? Et si nous avions l'audace de la prise de risque, de nous engager sur des chemins de traverse, au plus près de notre unicité ? Simplement, laisser venir ce qui œuvre à notre transformation personnelle, et par là même collective, pour bâtir ensemble un monde où règnent des valeurs humanistes et écologiques.

Laisser de l'espace et du temps à notre voix intérieure et lui accorder une voie d'expression, là où le mental ne peut que se taire et l'indéfinissable poindre.

Pas si simple, cependant, dans notre monde, où règnent en maître l'homme pressé et les « armes de distraction massive » qui nous entraînent vers une désertion de notre être. Pas si facile, dans l'effervescence de nos vies trépidantes et le tumulte de nos activités. Pas si évident, dans nos agendas surchargés qui morcellent la vie en tranches alors que la Vie nous appelle à nous rassembler, à réaliser au cœur de nous-mêmes nos noces intérieures.

Au temple 59, Kokubun-ji, les statues des Shichi Fukujin, les sept divinités du bonheur communes au shintoïsme et au bouddhisme, m'accueillent de leurs larges sourires, comme un clin d'œil espiègle aux réflexions qui m'occupent à cet instant.

10 août – Communauté de destins et inséparabilité du vivant

6 heures du matin. Dans un dédale de maisonnettes, mon hôtesse m'accompagne sur les premiers kilomètres de ce nouveau jour.

Bonheur d'être là, tout simplement, et d'assister au réveil du monde. Plaisir d'entendre le chuchotement des arbres, le murmure des feuilles sous la brise légère, le craquement des branchages sous mes semelles et les mille nuances des refrains des oiseaux. Chant de la Vie, champ du Vivant, vaste terrain de jeu.

Dans la plaine bordée par la chaîne de montagnes qui abrite le mont Ishizuchi, point culminant de Shikoku à 1 982 m d'altitude, je m'accorde à la respiration de ce paysage. Toute la Création respire doucement, je suis là et j'y participe. Je m'abandonne et je reçois. Une intimité intérieure se crée avec les éléments. Je me fonds dans cette nature, dans cette topographie de l'être. Ces vallons, ces sentiers escarpés, ces côtes sinueuses ne sont autres que moi-même. En tout cas, ils me parlent de moi. J'entre en parfaite harmonie avec la nature qui m'environne. Mon souffle s'évanouit dans celui des arbres et des fleurs. Ma morphologie se fond dans le paysage pour en devenir partie intégrante. Je deviens moi-même courbes et contours de cette immensité, pleine et riche de la présence du monde. « Tu es toutes choses, pourquoi encore désirer quelque chose ? En toi sont le ciel, la terre et les milliers d'êtres angéliques[1] », nous rappelle Angelus Silesius.

Je traverse la plaine, puis m'engage dans un chemin très raide jusqu'au temple 60, Yokomine-ji, le bien nommé « Pic Latéral », perché à plus de 700 mètres d'altitude. J'y croise une pèlerine originaire de Shikoku qui, en marchant sur ce chemin, réalise son rêve. J'y rencontre également une Japonaise venue en voiture avec des amis et sa fille de 8 ans, qui vont partager avec moi leurs boulettes de riz. Après l'effort, le réconfort !

La descente en forêt s'annonce longue et réputée *henro korogashi** avant de retrouver le creux de la vallée. Je savoure ma présence au sein de cette grande Présence. J'inspire… J'expire… Mais, soudain, des cendres obstruent ma respiration et viennent se coller sur mes vêtements. Des Canadairs font des allers et retours dans le ciel azur. Leur ombre s'abat sur ces pans de montagne. La forêt brûle, et cela m'emplit le cœur de tristesse. Mon âme pleure. Comme si une parcelle de ma propre chair partait en fumée. Dans le grand corps de l'univers, l'écorce de ces arbres n'est pas étrangère aux cellules qui me constituent, la sève de ces végétaux fait résonance avec mon propre sang. C'est le même souffle qui anime le feuillage de ces végétaux et dilate mes poumons. Je me sens particule et cellule du cosmos. Comme le dit Hubert Reeves, « nous sommes

---

1. Angelus Silesius, *Le Pèlerin chérubinique*, Aubier (« Classiques étrangers »), 1946.

tous des poussières d'étoiles ! Car tous les noyaux des atomes qui nous constituent ont été engendrés au centre d'étoiles mortes il y a plusieurs milliards d'années[1] ». Dans cet état d'ouverture clairvoyante du cœur, j'expérimente cette conscience quantique. Je touche du doigt cette interdépendance de toutes choses, cette communauté de destins, cette inséparabilité du vivant. L'impératif de prendre soin du vivant, en nous et autour de nous, me semble plus urgent et absolu que jamais. Nous avons la responsabilité de nos actes. Le poète anglais Francis Thompson soutient que l'on ne peut cueillir une fleur sans déranger une étoile, et ce n'est pas une figure de style : c'est la vision du monde validée par la physique quantique contemporaine. Le tout est dans chaque partie, et chaque partie est dans le tout. Tout est Un. La transcendance, ce principe à la source de la vie – peu importe le nom qu'on lui donne selon notre culture : Dieu, Elohim, le Tout-Autre, la Lumière Divine, l'Absolu, l'Être, Lui, le Ciel, l'Univers, etc. – est en tout et en tous.

Les équipes de télévision dépêchées pour couvrir l'événement sont déjà sur place. Et en arrivant au temple 61, Kôon-ji, mon cœur est à l'image du *hondo**, un bâtiment moderne en béton et en métal brut, maussade. L'appellation « Temple des Parfums » – le mot parfum venant du latin *per fumum*, c'est-à-dire « par la fumée » – fait alors étrangement écho au contexte du jour. Au sein des civilisations

1. Hubert Reeves, *Poussières d'étoiles*, Seuil, 2008.

antiques, les matières premières brutes des parfums (fleurs, plantes aromatiques et résines) étaient en effet réservées au culte des dieux. Les volutes d'encens qui s'élèvent aujourd'hui vers le ciel, en miroir aux arabesques de cette nature partie en fumée, ont pour moi une fragrance aux notes amères. Le charme n'opère plus.

La nouvelle rencontre avec Jinsé, ma Coréenne rieuse, et Koji, jeune Japonais que j'avais déjà croisé, les kilomètres parcourus ensemble le long de la nationale 11, les rituels effectués collectivement au temple 62, le Sutra du Cœur récité conjointement : tout cela finit par peindre quelques touches de bleu sur mon ciel intérieur. Et mes sombres pensées ne survivent pas à l'esprit pèlerin du *minshuku** qui passe un baume salvateur sur mon cœur écorché. Si j'apprécie mes haltes solitaires, je savoure pleinement, ce soir, ce temps partagé qui me rappelle l'ambiance bon enfant entre les pèlerins en marche vers Compostelle. Nous sommes six autour de cette joyeuse tablée : mes deux papys *henro**, Koji, Suzuki, qui réalise son pèlerinage par étapes, et Makoto, pèlerin à moto originaire d'Osaka. Le dîner autour d'une marmite de *shabu-shabu*, cette fondue japonaise où l'on plonge légumes et lamelles de viande, est enjoué. Au-delà de la barrière linguistique, on partage dans la simplicité, on boit (un peu !) et on rit (beaucoup !). C'est gai, simple et plein d'humanité.

11 août – Hymne à la joie

Je retrouve mes joyeux drilles autour d'un petit-déjeuner tout aussi animé, et me remets en route, pleine d'allant retrouvé, le long de la nationale. La douce lumière du lever du jour s'extirpe paisiblement des limbes de la nuit. Makoto me dépasse dans un concert de klaxons. Nous nous sommes quittés avec la certitude de nous revoir à Osaka où il m'attend avec sa petite amie. Le temple 63, Kichijo-ji ou « Bon Présage », résonne comme une confirmation. Du moins, je me plais à le croire.

Pied droit, tchac, gling, pied gauche, tchac…

Le temple 64, Maegami-ji (« Face de Dieu »), ressemble à un sanctuaire shinto et offre une superbe perspective dans un cadre verdoyant de rizières, collines et montagnes. Mes pieds continuent de fouler le sol de leur rebond léger. Tchac, gling…

Ce soir, je suis accueillie par Rumi, dont le nom même m'évoque Djalâl-od-Dîn Rûmi, le mystique persan du XIIIe siècle. Voilà qui laisse augurer une halte riche en sens ! Et en effet, l'accueil de Rumi est délicieux. Elle vit avec son père, devenu aphasique suite à un accident vasculaire cérébral survenu il y a treize ans. L'orthophoniste en moi ne peut s'empêcher de refaire surface et de lui prodiguer des pistes de communication, dictionnaire japonais-anglais à portée de mains. Les méandres du cerveau me fascinent, et la neurologie est un champ d'intervention orthophonique que j'affectionne tout particulièrement.

Sa fille de 20 ans et son fils de 27 ans n'habitent plus avec Rumi, et je suis accueillie comme l'enfant de la maison. Un bain m'attend, et c'est seulement parce que le *o-furo** a été préparé avec prévenance que je me plonge dans cette eau brûlante, n'aspirant alors qu'aux frissons d'une douche glacée.

Rumi est professeur de musique. Plus précisément, elle enseigne le *koto*, un instrument de musique traditionnelle qui ressemble à une longue cithare et qui produit un son très doux, comparable à celui d'une harpe. Rumi excelle également dans l'art du *shamisen*, un luth à trois cordes, et du *shakuhachi*, une flûte en bambou.

À défaut d'avoir retrouvé la clé de mon appartement, la clé de sol rythme notre rencontre. Solaire, sollicitude, solidarité… La clé de fa lui emboîte le pas. Face à face, fabuleux, fascinant…

La journée s'achève sur un récital dont j'ai le privilège exclusif. Les doigts de Rumi glissent avec virtuosité sur ces instruments traditionnels qu'elle accompagne de sa voix claire et de son répertoire de chants populaires. Elle ne fait plus qu'une avec la musique qui la traverse. La musicienne se tait, la Vie chante. De l'oreille au cœur, l'émotion est immédiate. Touchée par cette symphonie née du fond de son être, j'entends l'écho de son cœur au fond du mien, la résonance de son âme dans le creuset de la mienne. La musique permet de rejoindre l'universel. Une communion se crée à travers ces vibrations qui transcendent tout jugement esthétique : refrain issu des profondeurs, pulsation commune. Chant de l'Être, hymne à la joie, approche de l'Absolu… Temps suspendu dans la magie de l'instant, espace suspendu dans l'enchantement du lieu. Cette partition du soir brille d'une lueur d'éternité.

Même à Paris, la musique occupe une place importante dans ma vie. J'ai joué de l'orgue électronique et liturgique avec passion pendant des années et ai savouré, à travers cet art, des temps de joie souveraine et de transport divin sur des œuvres de Johann Sebastian Bach notamment. Je me suis aussi essayée au piano et à la guitare. Et il me serait difficile de me passer des concerts de blues, dont les notes s'accordent aux battements de mon cœur.

En tout cas, je reçois cette soirée de partage comme une invitation à jouer ma propre mélodie au sein du grand orchestre de l'univers. Laisser entendre la musique de mon être, dont l'instrument ne se trouve nulle part ailleurs que dans mon cœur.

Les mots attribués au poète Rûmi me semblent de circonstance :

> Vous avez des ailes.
> Apprenez à les utiliser et envolez-vous.

Ces ondes mélodieuses et le moment partagé devant l'alcôve destinée à la prière portent mes songes. Demain sera un grand jour : celui de mon entrée dans le Nirvana !

QUATRIÈME PARTIE

LA CLÉ DU PARADIS

Temples 66 à 88
Le chemin du Nirvana, 涅槃

Sanuki
(actuelle province de Kagawa)

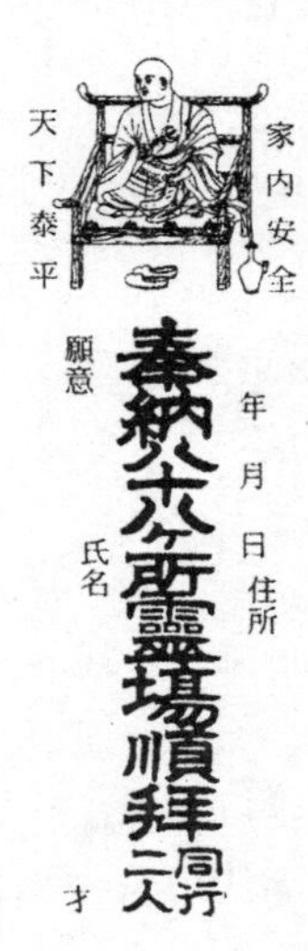

C'est vers l'intérieur que va le chemin mystérieux.

NOVALIS

13

Le fil de la merveille

12 août – Embrasement et feu intérieur

– *Beautiful dreams thanks to Malie-san !* (Des rêves magnifiques grâce à Marie !)

Émouvante Rumi ! Je suis reçue avec les honneurs d'une princesse de haut rang et c'est elle qui se confond en remerciements. Toi et moi, nous ne sommes qu'un... Libération de nos préoccupations égoïstes pour se tourner vers l'autre dans une attention spirituelle. En voilà une nouvelle illustration magistrale.

Les assauts du soleil qui percent l'horizon vaporeux sont déjà ardents lorsque je me mets en marche. Après quelques kilomètres, je retrouve Koji qui me fait *o-settai** d'un Snickers dont le chocolat est déjà fondu, vu la chaleur ambiante. Qu'à cela ne tienne ! Le geste est sincère et les encouragements dont il me gratifie pour mes 35 kilomètres montagneux du jour sont emplis de compassion :

– *Good luck !* (Bonne chance !), associe-t-il à son regard effaré.

Peu de temps après, je suis rejointe par un charmant monsieur à vélo qui me fait don de 150 yens en répétant « *ocha* », invitation à me rafraîchir d'un thé au prochain distributeur. Je le croise à nouveau quelques kilomètres plus loin, dans un hameau qui semble désert. Posté à côté de son vélo, il a l'air de m'attendre et me fait signe de le suivre dans un café où tous les riverains se sont donné rendez-vous pour l'attraction du jour que je représente. Une trentaine de paires d'yeux interrogatifs est braquée sur moi. L'Occident exerce ici une fascination non masquée. Réciprocité de ce regard, où chacun se sent étranger à l'univers culturel de l'autre, et à la fois uni à la même source.

Je suis au centre de toutes les attentions et chacun y va de son offrande. Les manifestations d'étonnement vont bon train, soutenues par des mimiques d'admiration. Je me prête volontiers au jeu des questions usuelles (« d'où, comment, à pied, en entier, toute seule ? »), auxquelles les réponses me viennent avec de plus en plus de fluidité, même si mon vocabulaire est vite épuisé :

– *Watashi wa Marie desu.* (Je m'appelle Marie.)

– *Furansujin desu.* (Je suis française.)

– *Paris kara kimashita.* (Je viens de Paris.)

– *Aruki* henro*.* (Pèlerine à pied.)

– *Hitori.* (Toute seule.)

– *Eeeeh ! Sugoi* ne !* (Eh ! C'est fantastique !), me répondent-ils à l'unisson.

Mon charmant monsieur au vélo accompagne ma sortie et me gratifie d'une nouvelle *o-settai**: 1 000 yens pour mon déjeuner. Tout en lui respire la bonté. Non pas cette bonté que l'on associe facilement à de la naïveté mais, au contraire, cette force de l'amour gratuit. Cet homme incarne la philosophie du don désintéressé, ce potentiel fondamental de la nature humaine. Jour après jour, ce chemin me le rend davantage palpable. Comme l'a soutenu Nelson Mandela : « La bonté de l'homme est une flamme qu'on peut cacher mais qu'on ne peut jamais éteindre[1]. »

Chacune de ces rencontres me transforme et fait jaillir des étincelles dans notre monde soi-disant en proie à l'indifférence et à l'individualisme. Au sein de ces relations, tout n'est qu'ouverture des cœurs et solidarité.

– *Eeeeh, henro*-san ! Henro*-san !*

Quelques kilomètres plus loin, un jeune homme m'apostrophe et se précipite à ma rencontre. Il m'invite chez lui, où je suis accueillie par sa mère et sa sœur, sous le regard des estampes de Kûkai qui trônent sur les murs. Là encore, les offrandes empruntent en nombre le trajet de mon cœur. La teneur linguistique de notre échange est certes limitée, mais un mot, dont la musicalité retient mon attention, revient à plusieurs reprises. C'est celui de *heiwa*. Je questionne mes hôtes :

– *Heiwa wa do yu imi desu ka ?* (Que signifie *heiwa* ?)

La réponse fuse alors de leurs trois voix accordées :

---

1. Nelson Mandela, *Un long chemin vers la liberté*, Fayard, 1995.

– *Peace.* (La paix.)

Me voilà fort chanceuse ! C'est peut-être l'un des seuls mots qu'ils sont en mesure de me traduire en anglais. Je repars chargée à bloc. Mon cœur déborde de gratitude pour toutes ces rencontres qu'il m'est donné de vivre. Autant de pierres précieuses glanées au gré de mon avancée.

Je monte vers le temple 65 par des sentiers qui s'élèvent à travers des sous-bois. Je mastique intérieurement le mot *heiwa* afin d'en extraire le suc nourrissant. *Heiwa*... Je porte ce mot dans mes prières formulées au temple 65, Sankaku-ji, d'où émane un charme céleste. *Heiwa*, dernière note de mon cheminement à travers l'Illumination. Le Nirvana s'annonce prometteur !

Je grimpe une côte abrupte avant de me retrouver à l'entrée d'un tunnel de 885 mètres de long qui met un terme à la préfecture de l'Illumination et débouche sur celle de Kagawa, quatrième et dernière phase du *Henro michi*, le chemin de pèlerinage de Shikoku. J'aime la métaphore de cette naissance au Nirvana : passer de l'obscurité de nos ténèbres vers la lumière.

Je franchis ce dernier tunnel. Ça y est, mes pieds foulent le sol de cette province bénie ! Youhouou ! Je pousse un cri victorieux, grisée d'arriver au Nirvana. Mon âme bondit de joie ! Je m'arrête au premier distributeur venu pour fêter dans l'allégresse cet événement. À défaut de champagne, ce sera une boisson gazeuse chimique aromatisée à la pêche. Qu'à cela ne tienne : les bulles y sont et tout en moi pétille ! J'écoute le chant de mon cœur et laisse libre cours à la danse de mon corps. J'éprouve alors une irrésistible envie de célébrer cette naissance à un autre monde. J'exulte.

C'est alors que la sonnerie du téléphone portable, prêté généreusement par l'association de pèlerins de Shikoku, vient s'unir aux rythmes de ma fête intérieure.

– *Moshi moshi** ? (Allô ?)

– *Matsuoka-san desu.* (C'est M. Matsuoka.)

– *Konichiwa** *!* (Bonjour !)

– *A key… in my house… yours ?* (Une clé… chez moi… la vôtre ?)

Non ?! Surréaliste ! M. Matsuoka, chez qui j'avais passé ma première nuit au Japon il y a un mois et demi, vient de retrouver ma clé chez lui. Quelle incroyable coïncidence ! « Le hasard, c'est peut-être le pseudonyme de Dieu quand il ne veut pas signer[1] », a écrit Théophile Gautier. J'en reste stupéfaite. J'ai l'impression de tenir là le fil d'Ariane de mon cheminement. Quelle puissante symbolique à travers ce vécu concret !

Je sais bien que la conception bouddhiste est éminemment plus complexe, mais ma culture occidentale me fait envisager le Nirvana dans le sens populaire du terme, comme un équivalent du Paradis, lieu de délices, royaume du bonheur souverain. Ma clé, ce symbole du quotidien, qui

---

1. Théophile Gautier, « Lettre III », *La Croix de Berny : roman steeple-chase*, Éditions Librairie Nouvelle, 1855.

ressurgit comme par enchantement au moment de mon entrée dans le Nirvana ! Voilà qui ne me semble pas anodin.

C'est un fait : on étouffe dans un espace que l'on restreint soi-même. Les portes blindées et les fenêtres de mon incarcération dans ma vie quotidienne s'étiolent soudainement. Des lézardes apparaissent sur les murs de cette claustration intérieure. L'édifice de mon emprisonnement, dans l'enchaînement des jours, se met sérieusement à vaciller. Un verrou saute. Les gonds de ma porte d'entrée commencent à geindre et leurs grincements amorcent un mouvement – timide mais certain – d'ouverture sur un nouvel espace. La porte s'entrebâille. Comme si des entités du monde invisible guidaient mes pas sur le sentier de ma cohérence et amenaient à ma conscience cette vérité : le Nirvana, c'est ici et maintenant ! Comme si la Vie me chuchotait à l'oreille : « Voilà la clé de ta transformation substantielle. Le Paradis, c'est ici et maintenant ! Voici la clé du mystère, celle qui t'ouvre en grand la porte de la Vie. Tout est déjà là, ici et maintenant, au cœur de toi-même comme autour de toi. Le Paradis n'est pas dans une destination lointaine, mais, tout simplement, dans le pas que tu fais en ce moment, où que tu sois. Le Paradis n'est pas dans des mirages illusoires mais dans l'ordinaire de ton existence. »

Je réalise avec étonnement que j'avais tout simplement oublié cette évidence. Comment avais-je pu perdre à ce point le contact avec l'expérience de l'instant ? Comment avais-je pu empoisonner ma vie au présent, la seule qui, finalement, ait une réalité tangible, par une conjugaison au conditionnel ? Le Paradis se trouve là où je suis, dans ma réalité quotidienne, dans ce que je fuyais. Je le cherchais partout, avec zèle et sans relâche, sauf là où il était déjà… La clé m'était tendue mais je ne trouvais pas la porte qu'elle ouvrait.

La plénitude est accessible immédiatement, même dans une activité routinière. Après mon retour de Shikoku, j'ai d'ailleurs appris que, selon le bouddhisme Shingon élaboré par Kûkai, l'Illumination étant atteinte dans cette existence corporelle, cela implique l'intégration et non le rejet des différents aspects de notre vécu quotidien. Voilà le maître spirituel dont il me fallait suivre les pas ! Nagarjuna, moine et philosophe bouddhiste indien du IIe siècle, soulignait, quant à lui, que le Nirvana n'est rien d'autre que « la réalité commune, vue sous un autre angle[1] ». Cela me parle.

Le Paradis, c'est ici et maintenant ! Et cette porte n'est jamais fermée. Je touche du doigt une autre profondeur du réel, à portée de la clé de mon quotidien. J'entraperçois son vrai visage. Je reviens à la lumière originelle qui revêt chaque jour de neuf. L'écho des montagnes me redit à l'infini : « Le Paradis, c'est ici et maintenant ! Ici et maintenant ! Voilà la merveille. Se tenir au présent, c'est se tenir

1. Nagarjuna, *Stances du milieu par excellence*, Gallimard, 2002.

chez soi. Vivre l'instant, c'est vivre, tout simplement. »

Cette troublante synchronicité enchante mon esprit. J'entre en dialogue avec cet événement surréaliste, et me voilà lancée dans une causerie intime. Je laisse ma réflexion vagabonder, direction la réconciliation avec ma réalité parisienne. Comme si je tenais là la clé de voûte de mon propre édifice, cette pierre centrale qui, placée la dernière, maintient toutes les autres, et sans laquelle la construction ne peut s'élever vers les sommets. Comme si j'étais venue chercher, sur les traces de Kûkai, la clé de la porte que j'avais moi-même fermée de l'intérieur : celle qui ouvre le porche de ma cathédrale intime, cette part de divin qui me fonde. Je me laisse porter par les associations spontanées qui se forment.

Un songe fait peu de temps avant de partir à Shikoku me revient alors en mémoire. Derrière l'écran de mes paupières closes, je me vois faire visiter un appartement plein de charme qui, dans mon rêve, s'avère être mon domicile. Mon invité en question est une personne dont je ne distingue pas les traits, mais qui respire la bienveillance. Je conduis cet invité de la première pièce à la deuxième quand celui-ci me fait remarquer une porte que je n'avais, jusqu'alors, jamais vue. Étonnement face à cette énigme et curiosité quant à cette perspective qui s'était dérobée à ma vue. Mon compagnon de visite m'invite alors à ouvrir cette porte mystérieuse qui n'est pas fermée à clé. Stupeur ! Une pièce immense, baignée d'une franche lumière, s'ouvre devant mes yeux éblouis. Comme un encouragement à explorer cet espace qui me parle de l'infini en moi. Décodage symbolique, clé des songes… C'est alors que je m'étais réveillée, mais la forte impression de cet épisode onirique demeure bien vivace aujourd'hui encore. Comme si l'Être en moi aspirait à sa mise en lumière. Et lors de mon entrée au Nirvana, j'entends à nouveau cette injonction. La clé de la chapelle sacrée de mes profondeurs est à portée de main. « Ils ne pressentent pas que, te levant des légendes anciennes, tu t'avances vers nous, ouvrant le ciel, et tu portes la clef qui ouvre les demeures de la béatitude, silencieux messager des infinis mystères[1] ! »

Et s'il convenait, en fait, d'accueillir chaque jour comme un miracle riche en prodiges, d'ouvrir la porte chaque matin à toutes les potentialités dont regorge l'horizon ordinaire ?

J'arrive au *minshuku** Okada avec une énergie décuplée par cette vie que je sens prendre corps en moi. Prises de conscience progressives, renaissance… Comme si le chemin, véritable acteur de cette aventure, me montrait la voie sur laquelle, à l'image du Petit Poucet, je pourrais ramasser les cailloux menant au foyer de mon cœur. Pour un peu, je crierais au miracle. Tout s'éclaire.

1. Novalis, *Hymnes à la nuit*, Gallimard, 1980.

La soirée est à nouveau placée sous le signe de l'esprit pèlerin. Le lieu ne vit que pour les *henro** et l'accueil y est d'une générosité exemplaire. Une multitude de cartes postales, d'articles de journaux et de photos de pèlerins sont épinglés sur les murs. L'hôte de la maison, un vieux monsieur dont émane une joie de vivre enfantine, sa femme, son fils, mes trois compagnons *aruki* henro** et moi, nous nous régalons d'un dîner fameux jusqu'à une heure tardive. Les maîtres mots sont fraternité et convivialité. Et bien sûr, en mélodie de fond : « Le Paradis, c'est ici et maintenant ! » Nos rires remplissent l'espace et je pourrais faire miens ces propos de Christiane Singer : « Je croyais jusqu'alors que l'amour était reliance, qu'il nous reliait les uns aux autres. Mais cela va beaucoup plus loin ! Nous n'avons pas même à être reliés : nous sommes à l'intérieur les uns des autres. C'est cela le mystère. C'est cela le plus grand vertige[1]. » Vertige face à toutes ces rencontres, vers ce point de connexion où nous ne sommes plus qu'un. À mesure que se déploient mes pas sur cette île japonaise, je m'approche davantage de ce secret de l'unité autour de notre commune humanité. Toi et moi, nous ne sommes qu'Un… La majuscule s'impose.

1. Christiane Singer, *Derniers fragments d'un long voyage*, Albin Michel, 2007.

13 août – Murmure du divin

Je démarre la journée en compagnie de Akihisa, l'un de mes compagnons de *minshuku**, âgé de 36 ans, qui, de son pas leste, me distance rapidement dès les premiers kilomètres qui montent vers le temple 66, le bien nommé Unpen-ji, « Voisinage des Nuages ». Le sentier qui conduit vers le point culminant, à 927 mètres d'altitude, a beau être considéré comme *henro korogashi**, il regorge de beautés : forêt de conifères et azalées entre lesquels s'immiscent des volutes vaporeuses. La lumière rampe à travers les feuilles. Mon pas se fait danse avec ces arabesques qui m'invitent à participer à leur chorégraphie. Ce chemin m'entraîne subtilement vers les hauteurs, et j'arrive au sommet sans même m'en apercevoir. Les arbres, les rayons du soleil, tout semble me chuchoter sans relâche au creux de l'oreille et du cœur : « Le Paradis, c'est ici et maintenant ! Déguste la saveur d'être vivante ! Viens prendre part au réel ! »

Je reste un long moment à flâner au temple, où la proximité du ciel imprègne le lieu d'un fort éclat spirituel. Tout invite le regard à s'élever très haut. J'y entends le murmure du divin :

> Je suis vivant
> Mes yeux se lèvent vers le ciel si haut
> Où vole une libellule rouge[1].

---

1. Natsume Sôseki, *Haïkus*, Éditions Philippe Picquier, 2001.

Oui, je suis vivante et je rentre en contemplation devant l'infini du ciel, à la fois si loin et tellement proche.

L'endroit est presque désert et le téléphérique tourne à vide. Les bâtiments resplendissent au soleil et rayonnent d'une beauté paisible. Dans ce silence, je savoure le panorama de sommets bleutés et de crêtes dorées.

Un alignement surprenant de 500 statues en pierre, représentant les disciples de Bouddha, borde la route en lacets qui plonge vers le temple 67. Ces sculptures saluent le passage des *aruki* henro** sur plus d'un kilomètre. Tantôt rieuse, tantôt sévère, leur compagnie m'aide à avancer sur cette descente dont je ne vois pas la fin.

La joie de l'arrivée au temple 67, Daiko-ji (« Grande Prospérité »), est magnifiée par les retrouvailles avec mon complice Koji. Échange de *fuda** en guise de recommandations mutuelles à la protection de Kûkai, rires francs, regards vrais, récitation commune du Sutra du Cœur.

Ma halte du soir est prévue à la ville de Kannonji. La route est encore longue, et les kilomètres asphaltés sont brûlants. Une voiture climatisée, d'un blanc rutilant, s'arrête à ma hauteur. Un monsieur âgé accompagné de son petit-fils, visiblement inquiet, me demande si tout va bien, et propose de m'avancer.

– *Aruite**. *Arigato gozaimasu**. (Je marche. Merci beaucoup.)

Face à mon refus, il me jette un regard plein de compassion avant de poursuivre sa route. Mais quelques kilomètres plus loin, c'est un vrai comité d'accueil qui m'attend devant une maison en bord de route. Comme si la présence d'une pèlerine à la peau claire, animée d'un grain de folie pour marcher sous une telle chaleur avait été annoncée au porte-voix ! Toute la famille se précipite à ma rencontre : le grand-père, sa sœur, son beau-frère, son petit-fils et son neveu Koji.

Ils sont actuellement réunis à Shikoku pour la fête religieuse bouddhiste du O-Bon qui honore les esprits des ancêtres. Pour rendre hommage aux défunts, de nombreux Japonais prennent alors des jours de vacances et se retrouvent en famille. Afin de guider les âmes des morts, des lanternes sont allumées devant chaque maison. Des bougies et des offrandes de nourriture sont déposées sur les *butsudan*, ces autels installés dans les habitations en hommage aux ancêtres. Je prends le temps de m'asseoir et d'essayer de comprendre cet autre si différent par sa culture, mais si semblable par notre nature commune.

« Exercez l'hospitalité en tout temps car beaucoup d'entre vous, sans le savoir, ont hébergé des anges[1] », conseille saint Paul. Pour ma part, je ne cesse d'être accueillie par une multitude d'anges ! Je suis encore une fois une invitée comblée : je suis nourrie, abreuvée et requinquée par les bons

1. Saint Paul, Lettre aux Hébreux, 13, 2.

soins de Koji, jeune étudiant en médecine traditionnelle chinoise qui me propose une séance de moxibustion[1].

À travers toutes ces rencontres, je me sens pleinement habitée par cet esprit de fraternité qui s'exprime ici avec tant de noblesse. Je suis portée par tous ces compagnons de voyage intérieur dont chaque jour m'offre le cadeau inestimable. Pèlerine en marche sur la voie du cœur, je deviens le réceptacle d'un amour immense. Nous ne nous connaissions pas quelques minutes auparavant, et pourtant j'ai l'impression d'être entourée d'amis chers, telle une cohorte de messagers des dieux. Jaillissement d'une communion intime. Toi et moi nous ne sommes qu'un... Je suis d'ailleurs, chaque jour, touchée un peu plus par ce geste de salut si humble, le buste incliné, par lequel je signifie que j'ai perçu en l'autre cette part divine qui nous fonde.

Et puis, encore une fois, s'arracher, reprendre la route, encore et encore... Vers d'autres rencontres.

La fille de mon hôte du soir est une jeune femme de 34 ans, mariée à un Allemand expatrié pour un temps au Japon, maman de deux enfants : un garçon de 4 ans et une petite fille de 2 ans. Ils vivent en Allemagne depuis quatre mois. Elle est revenue à Shikoku pour rendre visite à sa famille. Elle parle un anglais impeccable et est complètement occidentalisée, voire en rejet par rapport à la société

---

1. Technique de stimulation par la chaleur de points d'acupuncture.

traditionnelle de Shikoku qu'elle me dépeint avec un brin de mépris. Là où je lui manifeste mon émerveillement face aux traditions multiséculaires et aux coutumes ancestrales que je perçois si vivantes, elle me renvoie sa soif de modernité et s'enorgueillit de son ouverture sur l'étranger. Là où je lui témoigne mon admiration face aux rites religieux maintenus avec tant d'ardeur, elle me manifeste son enthousiasme face à notre culture européenne où la laïcité est de mise. Temps riche en échanges où, modestement, il me semble toucher du doigt la complexité de la société japonaise. Fascinant pays, civilisation pétrie de paradoxes.

14 août – Montée au Ciel

La journée débute par une balade matinale parmi les cerisiers, les azalées et les camélias du parc Kotohiki, considéré comme « Site pittoresque national ». Le lieu est encore calme aux premières lueurs du jour. Au point culminant, je peux apercevoir le Zenigata Sunae, une pièce de monnaie de 350 mètres de circonférence creusée dans le sable, dont la vue est supposée porter chance. Je n'allais pas m'épargner quelques kilomètres de montée supplémentaires et passer à côté, quand même !

Les temples sont nombreux sur ce tronçon du pèlerinage, et les lieux sacrés défilent, aujourd'hui. Pied droit, tchac, gling, pied gauche, tchac… « Bénédiction des Dieux », « Montagne

Principale », « Huit Vallées », « Mandala »... Pour arriver au temple 73, « Apparition de Bouddha », construit sur le lieu où Kûkai se jeta d'une falaise, à l'âge de 7 ans, jurant de prendre soin des âmes si le Bouddha venait à son secours. Il fut sauvé par une cohorte d'anges. Tchac, gling... Temple 74, « Montagne Armée ». Et le numéro complémentaire, 75, Zentsu-ji (« Temple du Droit Chemin »), lieu de naissance de Kûkai. Ce sanctuaire, devenu le premier consacré à la branche du bouddhisme Shingon, est hautement vénéré. Il comprend sept bâtiments principaux, une grande pagode entourée d'immenses camphriers et un stupa, structure architecturale rare au Japon. Ce sont des sables provenant des huit lieux sacrés de l'Inde qui ont été utilisés pour sa construction. Les pierres chantent. La noblesse du lieu, sublimée par la lumière mordorée de la fin du jour, s'exprime en tout.

Des amulettes, particulièrement nombreuses en ce site sacré, sont accrochées un peu partout pour invoquer une guérison, éloigner les mauvais esprits, appeler la bonne fortune.

Je suis attendue au *shukubo**, où l'organisation se révèle bien rodée pour accueillir pèlerins et visiteurs en nombre. J'ai la plaisante surprise de retrouver au dîner Akihisa que j'avais croisé avant-hier.

14

Frémissement de l'Absolu

15 août – Prières universelles

5 h 30. Superbe cérémonie du matin, portée par les voix des moines qui élèvent les cœurs de l'assemblée. En ce jour de l'Assomption pour les catholiques, je me sens profondément reliée à une spiritualité universelle, là où véritablement dialoguent les peuples et les cultures, là où le pluralisme converge vers l'Un. Ici, là-bas, de l'autre côté du globe, une terre qui prie, un monde assoiffé de transcendance, une humanité éprise d'Absolu. Des gestes simples et riches de sens, des mains tournées vers plus grand que soi, des genoux qui se fléchissent, des bustes qui s'inclinent, des chants qui s'offrent, des flammes qui montent vers l'infini. Une planète entière qui, dans ce présent fugace, prie l'Éternel. Je participe à cette vaste prière collective sans barrière d'âges, de couleurs de peau ou de frontières géographiques. Au-delà des rites et des liturgies, la louange est une. La source est une. Toi et moi, nous sommes Un.

Un moine prend la parole. Son flot de paroles ne se tarit pas mais, évidemment, je n'en comprends pas une miette. Parmi tous ces sons qui tournoient, je parviens quand même à saisir au vol « *migi* », à droite, et « *hidari* », à gauche, vocables devenus familiers dans mon lexique de pèlerine en terre nippone. Soudain, dans un mouvement feutré, les participants à la célébration matinale se lèvent pour se rendre au petit-déjeuner, préalablement guidés par les indications du moine – du moins c'est ce que j'imagine sur le moment. Et, suivant la masse, je me retrouve, perplexe, dans un passage souterrain plongé dans le noir le plus complet. L'obscurité est totale pour celui qui s'enfonce dans cet interminable goulet. Le seul faisceau lumineux ne peut être autre que celui de la confiance infaillible que j'éprouve sur ce chemin. Ma main gauche tâtonne et caresse la paroi lisse d'un mur que je suis à l'aveugle sur plus de 100 mètres. J'apprendrai plus tard que ce couloir, nommé Kaidan Meguri, peint de mandalas, d'anges et de fleurs de lotus, se situe sous le lieu de naissance de Kûkai et représente le chemin de Bouddha qu'il convient de suivre pour renaître symboliquement à la lumière. J'entends, en écho, la voix de Victor Hugo murmurer : « Chaque homme dans sa nuit s'en va vers sa lumière[1]. » J'avoue éprouver un grand plaisir à m'extraire de ce dédale pour remonter à la surface, et respirer au grand jour. Si l'élévation vers les cimes de ma vie intérieure avait été douloureuse

1. Victor Hugo, *Les Contemplations*, t. II, Gallimard (« Bibliothèque de la Pléiade »), 1967.

lors de l'ascension menant au temple 12, la plongée dans ces zones d'ombre, en lien peut-être avec l'immersion dans mes enténèbrements, n'est guère plus aisée.

Pied droit, tchac, gling, pied gauche... Temple 76, Konzo-ji (« Entrepôt d'Or »). Longue traversée de Marugame et d'Utazu où se succèdent les zones commerciales.

Au temple 77, « Noble Voie », je rencontre Kazunobu, un *henro** d'une quarantaine d'années venu en train d'Osaka, fluet mais apparemment très gourmand, qui, à l'évocation de ma nationalité, se met à frétiller des papilles en me parlant de « foua goua », d'« écaougo », de « foumaze » – comprenez « foie gras, escargot, fromage » – et de vin ! Un adepte de la bonne chère et du bonheur gustatif, comme savent l'être les Japonais. Il me plaît, ce Kazunobu !

La gastronomie sera le maître mot du jour puisque, après être passée au temple 78, Gosho-ji, c'est autour d'agapes que je suis l'invitée choyée de Mie Ozaki, une amie de Léo Gantelet, professeur de langue française à Marugame et présidente de l'association Shikoku Muchujin[1]. Mie, dynamique grand-mère, organise chaque année des activités originales pour la promotion de Shikoku auprès de pays européens, particulièrement la France. Nous avons eu, depuis, beaucoup de plaisir à nous revoir à Paris. Comme après le chemin de Compostelle,

1. Voir le site Internet fr.muchujin.jp.

les liens d'amitié tissés perdurent pour partager l'essentiel.

« Les années se suivent et ne se ressemblent pas », dit le proverbe. Contraste saisissant avec l'ambiance frugale du pique-nique du 15 août de l'année précédente sur le chemin de Compostelle. Allégées de la pesanteur du superflu et n'ayant pas anticipé ce jour férié, mon amie pèlerine Francine et moi avions mis en commun les restes égarés au fond de nos sacs pour nous régaler, sobrement, mais dans la joie, de deux galettes de riz décorées d'un abricot sec, de trois noisettes et quatre raisins secs. Magie des chemins qui transforment en festin un déjeuner simple et métamorphosent en nappe de fine dentelle une étendue d'herbe.

16 août – Élévation de l'âme

Pied droit, pied gauche… Les temples se succèdent et la barre symbolique du nombre 80 est franchie aujourd'hui. « Haute Illumination », « Pic Blanc », « Arbre Aromatique » : autant de temples juchés sur des hauteurs. Tous pratiquement déserts. Je promène mes yeux sur la baie de Takamatsu embrumée de chaleur qui se dessine à l'horizon.

17 août – Clé du royaume des Cieux

Tchac, gling… Temple 83, Ichinomiya-ji. Je suis attendrie de revenir à la ville de Takamatsu où mes pas ont foulé le sol de Shikoku pour la première fois, il y a plus d'un mois et demi. Je retrouve mon cher Harunori pour un tour de barque et une visite du jardin Ritsurin. Ce parc de 75 hectares date de l'époque Edo, c'est-à-dire du début des années 1600. Il est resté inchangé à ce jour. Je suis séduite par la vue qui s'offre à mon regard : au loin le mont Shiun couvert de pins, six bassins, treize collines, des amoncellements rocheux, des iris et des lotus de toute beauté. Le paysage enchanteur change à chaque détour, telle une multitude d'estampes qui se dévoilent à mes yeux.

Puis nous retrouvons l'impassible M. Matsuoka chez lui, dans cet appartement où j'ai passé ma première nuit en terre nippone. Les images de mon arrivée sur ce rivage alors inconnu remontent à la surface. Comme cela me semble loin !

Dans un geste fort, qui manifeste pour moi un acte éminemment spirituel, il me remet la clé de mon appartement, celle de mon Royaume intérieur. J'y perçois une résonance avec l'épisode biblique qui donne à la clé son sens le plus spirituel, celui de la promesse du Christ à Pierre : « Je te donnerai les clés du royaume des Cieux[1]. » Je regarde

1. Saint Matthieu, 16, 19.

cet objet d'un œil neuf, comme jamais jusqu'alors je ne l'avais considéré. Je tiens à la main l'outil de ma transformation. Curieuse impression de « rentrer chez moi », à la demeure de mes origines. Je m'enthousiasme, au sens étymologique du terme de « transport divin ». De l'espace s'ouvre en moi. Cette clé me permet d'accéder à une nouvelle philosophie de vie. Simplement dire « oui » à ce qui est là.

M. Matsuoka me montre ensuite une partie du film réalisé par l'équipe de tournage qui a accompagné mon premier jour de marche. Les images défilent devant mes yeux, émus de tout le chemin parcouru par cette pèlerine découvrant alors les rituels du culte Shingon et dont les gestes de dévotion, alors hésitants, sont devenus le refrain des jours. Que de chemin parcouru ! Des kilomètres géographiques certes, mais surtout une avancée considérable sur mes terres intérieures, vers la profondeur de mon être.

15

Célébration de l'infini

18 août – Remplir ses vœux

Pied droit, pied gauche... Je m'éloigne progressivement de la frénésie urbaine de Takamatsu avant d'atteindre le temple 84, Yashima-ji (« Île du Toit »), qui offre une vue imprenable sur la mer intérieure de Seto et Takamatsu. De là, on peut même apercevoir, sur le sommet de la colline d'en face, le temple suivant. Voilà qui promet une sacrée descente, suivie d'une grimpette non moins rude. Dans l'enceinte du temple, à côté de la statue décalée du *tanuki*, cet animal entre le raton laveur et le blaireau, j'ai la joie de retrouver Marianne et Olivier, le couple de pèlerins suisses.

Harunori vient aussi me rejoindre au port de Yashima pour marcher avec moi. J'apprécie sa présence enjouée, et suis heureuse d'avoir un compagnon de route. Voilà qui allège le pas, sur les 300 mètres abrupts qui mènent au sommet du mont Goken. Sous le soleil au zénith y flamboie le temple 85, Yakuri-ji. Ce lieu à flanc de montagne, entouré de falaises rocheuses, est imprégné d'une sérénité propice au recueillement et à la régénération des pèlerins défraîchis par ces derniers pas. Nous y partageons un émouvant Sutra du Cœur, comme au premier jour de ma marche. Dans cet écrin, nos voix entremêlées entrent en intimité avec l'invisible. Encore une fois, le temps et l'espace se volatilisent. Seule compte notre présence au sein d'une Présence bien plus vaste qui chante avec nous.

À travers zones commerciales et routes sans grâce, la journée se poursuit par un pèlerinage au sein même du pèlerinage. Harunori m'amène en effet à la boutique où, à mon arrivée, je m'étais métamorphosée en pèlerine de Shikoku. Puis, non sans émotion, nous retrouvons le temple 86 qui avait servi de décor à la grande répétition générale des rituels à effectuer dans les temples. Vertige de revenir en ces lieux que je redécouvre avec un nouveau regard. Rien n'est plus pareil. Tout est paré de neuf.

Le temple 86, répondant à la dénomination harmonieuse de Shido-ji, constitue l'endroit rêvé pour renouveler mes souhaits puisque son nom signifie : « Remplir ses Vœux ». Je dépose avec ferveur, dans l'urne du *hondo** et du *daishido**, un *fuda** avec la liste de toutes les intentions que je porte et que je confie à Kûkai.

Ce soir, je suis un brin mélancolique à la pensée du nombre infime d'heures qu'il me reste à cheminer vers l'ultime calligraphie. Serrement de cœur. Je me sens tellement bien, à infuser sur ces sentes du bout du monde !

19 août – Espoir et renouveau

« Je voudrais te transmettre le frisson des départs dans l'allégresse des matins silencieux[1]. » La lumière est encore enveloppée d'une légère nuit bleue. Mes pas se font velours dans cette nature qui s'éveille. Mes bâtons chuchotent en accompagnant les balbutiements du lever du jour. Voilà une nouvelle aurore qui pointe avec audace à travers le voile noir de la nuit, clamant qu'hier n'est plus et qu'aujourd'hui est à réinventer. Constat joyeux qui me porte et n'a de cesse de me nourrir chaque jour davantage.

Quelques kilomètres avant l'ultime temple, je reçois un sésame aussi précieux que la Compostela pour les jacquets de Compostelle, ce diplôme rédigé en latin attestant de la réalisation du pèlerinage, après examen des tampons apposés sur la crédenciale. Ce certificat fait officiellement de moi une ambassadrice du pèlerinage de Shikoku et la dépositaire d'une mission de rayonnement à son égard. Dans ce bureau, qui abrite également un musée sur l'histoire du pèlerinage et la vie de Kûkai, je suis impressionnée par une maquette de l'île sur laquelle sont disposés tous les temples où j'ai déposé des vœux, des bougies, des bâtons d'encens et élevé mes prières. Quel relief spectaculaire ! Une multitude de montagnes surgies des profondeurs de l'océan, voilà à quoi ressemble Shikoku ! Comme si, d'un coup, je mesurais le chemin parcouru et les dénivelés

1. Xavier Grall, *Les vents m'ont dit*, Calligrammes, 1982.

réalisés. Je revois le temple 12, fier sur son sommet, tous les cols à franchir pour y parvenir, et me rappelle les souffrances associées. Le temple 66, si haut perché également, d'autant plus quand il conclut un pacte avec le soleil incisif du mois d'août. Les images défilent avec force dans mon esprit.

Tchac, gling… Ascension du mont Nyotai.

Grisée des plaisirs de la marche en solitaire, j'aspire à vivre dans la solitude l'arrivée au temple 88, Okubo-ji, et, en ce jour, je n'ai pas grande envie de rencontres avec mes semblables. Les retrouvailles en chemin avec Marianne et Olivier viennent pourfendre, soudainement, ce vœu ascétique. L'heure semble venue de quitter cette bulle d'isolement et de remonter à la surface. Tel un rappel pour garder, chevillée au cœur et au corps, l'intime conviction que la vie n'est pas un chemin solitaire. S'il commence certes par soi-même, il continue par l'autre, qui est aussi là pour nous révéler à nous-mêmes. La confrontation à l'altérité nous permet d'être plus lucides quant à nous-mêmes et fait partie intégrante de notre processus de croissance. Chaque rencontre nous réinvente, nous ouvre sur du neuf et apporte une pierre à la construction de notre édifice intérieur. « Le plus court chemin de soi à soi, c'est de passer par autrui[1]. »

Dernière côte avant de passer la porte de cet ultime temple. Me viennent avec émotion les visages de tous ces pèlerins qui ont foulé avant moi

---

1. Paul Ricœur, *Soi-même comme un autre*, Seuil, 1990.

ces sentiers, et l'image de tous ceux à venir. Le chemin me partage tous les vœux qu'il a élevés vers une transcendance. Mes yeux s'embrument. Toi et moi, nous ne sommes qu'un. Mantra de mes pas. Je ne suis pas une entité indépendante, mais bel et bien une gouttelette dans un océan, un maillon dans la grande chaîne du Vivant, une cellule du grand organisme de l'Univers.

Je savoure pleinement les rituels réalisés en ce lieu et reste en admiration face à un majestueux *Ginkgo biloba*, que le *shimenawa*, cette corde en paille de riz qui entoure son tronc, désigne comme un arbre sacré. Le *Ginkgo biloba* appartient à la plus ancienne famille d'arbres connue, seule espèce à avoir survécu à la bombe atomique du 6 août 1945 à Hiroshima. Arbre sacré d'Asie, symbole de vie, de renouveau et porteur d'espoir, il m'émerveille par sa puissance sereine et la force paisible qu'il dégage. Je prends le temps de m'en imprégner, les mains délicatement posées sur son écorce. Renouveau, vie, espoir. Au bout de ce pèlerinage, ces mots me parlent.

20 août – Danse avec la Vie

Ce matin, je reste au temple 88, temple de la « Grande Cavité », où a lieu une importante fête religieuse. Personne ne parlant anglais, je n'ai pas compris l'objet de cette dévotion. Qu'à cela ne tienne, je reste intimement reliée au sentiment d'universalité spirituelle au-delà des cultes. La ferveur de la foule rassemblée pour cette tradition séculaire me séduit. Le public et les moines se sont mis sur leur trente et un. Devant un immense brasier, on chante et on danse, au rythme des multiples instruments dont les moines, parés de vêtements de cérémonie, jouent avec vigueur. Des prières sont psalmodiées à l'intention des flammes. Des offrandes aux divinités sont brûlées. La chaleur qui se dégage de cet embrasement n'a rien à envier à l'incandescence du soleil qui écrase les fidèles amassés sur l'esplanade. L'atmosphère devient irrespirable. Mais les visages restent impassibles et la pieuse effusion, imperturbable.

Une fois les braises dispersées en un grand tapis, une longue file de dévots déchaussés traverse cette paillasse brûlante pour repartir régénérés. Par égard pour mes pieds à vif et les derniers kilomètres qu'il me reste à parcourir, je préfère m'abstenir.

Demain, retour au temple 1, pour respecter la tradition du *Kechigan* et boucler le pèlerinage en revenant au point de départ initial. L'aspect circulaire de cette pérégrination, tel un mandala, n'est pas anodin. Symboliquement, le cercle représente l'infini, la perfection, l'absolu, le divin, l'élévation. Contrairement au pèlerinage de Saint-Jacques-de-Compostelle où le pèlerin se rend en un lieu bien précis, à Shikoku, le *henro** ne marche pas vers une destination finale ultime. Il est invité à entrer dans une ronde, à l'image de la roue de la vie, avec ses cycles de morts et de renaissances, vers un renouveau avec un surcroît de conscience. Mouvement circulaire, tel un trait d'union entre un soi désordonné et un soi réactualisé, un lien entre un homme et l'Homme « réalisé » du bouddhisme. Comme une libération d'un être enfermé dans un cocon limitant son plein accomplissement. Celui qui revient au temple 1 est à la fois un autre et plus profondément lui-même. « Rien ne se perd, rien ne se crée, tout se transforme », soutenait Lavoisier. Sur ce chemin, chaque pas m'a rapprochée de moi, de ma présence au monde et du monde présent en moi. Convergence vers le centre de mon être.

Serait-ce parfois en tournant en rond que l'on avancerait le plus ? À l'issue de ce pèlerinage, je me dis que la question mérite d'être soulevée.

Dans le grand mouvement du monde et de la rotation de la Terre, sur ces sentiers japonais, j'ai dansé avec la Vie. J'ai valsé au rythme du vivant, dans un tournoiement aérien, à l'image de la danse sacrée des derviches tourneurs soufis, cette ivresse qui entraîne le corps et l'âme vers la lumière spirituelle du cœur. Oui, j'ai tournoyé sur une musique qui a jailli d'elle-même...

21 août – Mise au monde

Une grande émotion m'envahit dès le réveil à l'idée de cette dernière journée de marche sur ce chemin des 88 temples. L'imminence de la fin de mon pèlerinage fait surface. Je me sens tellement bien sur ces sentiers ! Tels certains vétérans, je pourrais continuer à circumambuler éternellement sans m'arrêter. Je renonce à regarder mon guide. Je me laisse porter par mon intuition et ma boussole intérieure, peut-être avec l'espoir secret de rajouter quelques pas… Lâcher le guide, comme l'enfant lâche la main de ses parents pour faire ses premiers pas d'homme debout. La même fierté, la même jubilation ! Ça y est, je marche ! Je suis un être debout ! Le pas est sûr et se ralentit pour savourer intensément ces derniers kilomètres avant l'ultime calligraphie. Je multiplie les pauses dans les derniers villages traversés. Je fais des détours pour me délecter de ces derniers instants, avant de reconnaître au lointain la silhouette de mon point de départ qui se découpe sur un ciel azur.

Dans un silence solennel, mon arrivée au temple 1 embrase mon cœur, tel un jubilé intime. Tout mon être participe à cette fête. Pas de cérémonial, pas d'applaudissements face à une quelconque prouesse, pas de hourras fanfarons, pas de tralala. Mon dernier pas s'ouvre sur la porte de ce site sacré, les larmes embuent mes yeux et coulent le long de mes joues. Je côtoie le divin ! Je sens bondir en moi une explosion de vie. Un sceau incandescent s'appose dans le mille de mon cœur. Une joie immense jaillit de mes profondeurs, en même temps que m'envahit une infinie gratitude envers la Vie elle-même. Présence au monde intensifiée, surcroît d'être, naissance à une autre dimension. Feu céleste. Vertige du chemin parcouru. Ivresse de tous les pas déployés.

Alors que le charme d'une consécration finale avait été rompu à mon arrivée à Saint-Jacques-de-Compostelle puis au cap Finisterre, véritable point d'orgue de cette aventure où le chemin se fond dans d'abyssales noces avec l'océan Atlantique, ici, je ne suis pas arrivée. Au contraire, tout commence et le chemin s'ouvre. Nouveau départ. J'ai découvert une source. La boucle ne se referme pas. Au contraire, tout se libère.

« Seule compte la démarche. Car c'est elle qui dure et non le but qui n'est qu'illusion du voyageur quand il marche de crête en crête comme si le but atteint avait un sens[1]. » Expérience saisissante d'être rassemblée, centrée autour du moyeu de la roue de mon être. Au bout du chemin de Compostelle, face au soleil couchant, le pèlerin brûle ses vêtements et le vieil homme meurt en lui. Au bout du chemin de Shikoku, le soleil se lève sur un homme nouveau.

Il n'est plus question de se percevoir « humain, trop humain », mais de prendre conscience de la noblesse de notre condition. « Humain, plus qu'humain », serais-je tentée de dire avec audace. Je goûte là une expérience de verticalisation bouleversante. En même temps, je m'ancre dans de profondes racines et je m'élève vers la lumière du Ciel. Je m'aligne sur l'axe de mon être. Connexion à ce statut d'Homme, trait d'union entre Ciel et Terre. Je ressens qu'une grande Présence se trouve dans mon cœur et dans mon corps de chair. Une

1. Antoine de Saint-Exupéry, *Citadelle*, Gallimard, 1948.

globalité inimaginable m'envahit alors : je me sens réceptacle, calice. Je goûte là un paroxysme de Vie en moi. Apothéose de ce cheminement initiatique, de ce tour de mon âme en 88 temples.

Comme si j'avais marché à travers les âges de la vie : à cet instant, aucune barrière n'existe entre l'enfant que j'ai été, la jeune femme que je suis, peut-être la mère que je deviendrai, la grand-mère qui sait. Plus aucune division, juste la Vie dans toute sa magnificence, une, indivisible, la Vie qui s'offre, qui pétille dans mes cellules et celles du monde alentour.

Comme si corps et esprit, visible et invisible, humain et divin, temps linéaire et éternité, ténèbres et lumière, particulier et universel, vide et plénitude ne faisaient plus qu'un. Comme si toutes les dichotomies et les classifications binaires imposées par le mental se dissolvaient dans une osmose originelle. Les frontières arbitraires et les clivages artificiels créés de toutes pièces par notre intellect qui catégorise, fragmente, divise et subdivise n'ont plus cours à cet instant qui me transporte bien au-delà des contraires.

Plus de hiérarchie, plus de comparaison, plus de dualité. Rien ne s'oppose, rien ne s'efface, rien ne s'exclut. Tout s'additionne, tout s'ajoute, tout se dissout. Le temps se suspend. L'espace se volatilise. Tout se fige, tout se tait, tout s'aligne. Cet instant a le goût de l'infini, la saveur de l'éternité. Dilution dans l'immensité. Le monde ne m'a jamais paru si beau ! Comme si je le voyais alors pour la première fois. Tel un écho au grand message du Sutra du Cœur où tout devient Un, où il n'est plus question d'opposer « la forme et le sans-forme, le fini et l'infini, le créé et l'incréé[1] ». Les barrières du cérébral tombent dans une inter-reliance ontologique et féconde. À ce moment-là, je m'éprouve « rien », ce qui me fait me rapprocher du « tout », me fondre dans une grande unité. Je convoque l'unicité en moi dans cette expérience merveilleuse d'être en vie. Intensité de la présence de Celui qui est. « Nous ne sommes pas des êtres humains vivant une expérience spirituelle. Nous sommes des êtres spirituels vivant une expérience humaine. » Ces célèbres mots de Teilhard de Chardin prennent pour moi, à cet instant, tout leur sens. Humanité du divin et divinité de l'homme.

Kûkai m'apparaît alors comme un maître spirituel m'ayant conduite à explorer mon essentiel, cet espace au cœur de mon être où vibre la lumière. Tel un guide de l'âme, il m'a menée à la rencontre de l'infini au sein du fini de la marche.

Sous la centaine de lampions qui ornent le plafond du *hondo**, le dernier Sutra du Cœur récité en ce lieu résonne comme un hymne à la joie, une ode au renouveau, un éloge à la Vie. C'est sur le vide que tout prend forme, que tout se révèle. Le vide est source de possibilités infinies. Pleine conscience, conscience vide. « La grâce comble, mais elle ne peut entrer que là où il y a un vide pour la recevoir[2]. » Les mots s'écrivent sur une page blanche. La peinture

1. Extrait du Sutra du Cœur.
2. Simone Weil, *La Pesanteur et la Grâce*, Plon, 1947.

naît d'une toile vierge. Les sons percent du silence. L'ineffable émerge lorsque l'on se tait. La dimension divine de notre être jaillit du point foyer en nous une fois désensablé de tout ce qui en empêchait l'accès : nos identifications, nos conditionnements, nos fictions à notre égard, etc. Nouvelle lecture du Sutra du Cœur initialement obscur. Ces mots prennent sens.

Au milieu de l'enchevêtrement des volutes d'encens, je passe de longues minutes à regarder danser les flammes des bougies que j'ai allumées pour la dernière fois devant le *hondo** et le *daishido**. Elles vacillent, aériennes, au gré d'un souffle léger qui les berce dans un rythme accordé à celui de la nouvelle respiration que je sens s'élever en moi. Une émotion paisible embrume mes yeux. Des larmes chaudes viennent brouiller la vue de cette lumière qui m'évoque celle que je sens poindre en moi. Percée de l'Être. Diffuser sa lumière et voir le triomphe de son éclat sur les ténèbres du monde.

Dernier passage au bureau du calligraphe. Mon carnet est désormais rempli de multiples calligraphies, riches du vécu de cet état nomade. Tracé du pinceau d'une main tantôt hardie, tantôt légère. Si vous l'ouvrez, vous verrez jaillir de ses pages une multitude de visages, d'émouvantes rencontres fraternelles, un kaléidoscope de couleurs éclatantes, des gouttes de rosée au réveil de l'aube, le chatoiement irisé du monde. Vous entendrez surgir les prières d'une humanité tournée vers le Ciel. Vous saisirez des grondements d'orage. Vous sentirez des effluves d'encens et de tatamis, des parfums d'aventure, des émotions écrites au fil des jours. Vous tutoierez un temps épaissi et densifié. Vous serez emportés par le rythme incantatoire des milliers de pas effectués. Vous goûterez sur votre peau les assauts acérés du soleil mordant d'un été de braise. Vous vous délecterez d'une profusion de saveurs. Vous percevrez des douleurs, des doutes, des émerveillements, des instants de grâce, des parcelles de joie simple qui ont émaillé l'égrènement de ces heures. Un concentré de vie s'animera soudain entre vos mains.

Après m'avoir offert le bracelet de perles en bois qu'elle portait au poignet, la calligraphe me regarde avec un franc sourire et me fait signe de la suivre. Elle m'emmène faire le tour des statues pour me faire don des offrandes votives déposées par les visiteurs du jour. Je suis sincèrement touchée par son geste et par les belles énergies qui ont spiritualisé cette matière brute.

Je finis par réussir à quitter ce site pour me mettre en quête de mon hébergement du soir. À proximité du temple, à l'adresse retenue, le propriétaire du lieu lève furtivement les yeux, me considère une seconde, me toise et m'adresse un regard hautain. Visiblement, j'interromps sa tranquillité. Il se replonge dans sa lecture. J'en reste bouche bée, interloquée face à cet accueil dénué de toute chaleur, sans même une poussière d'intérêt poli. Qu'à cela ne tienne, tout mon être déborde d'une joie radieuse que rien ne pourra me ravir. Encore un précieux enseignement de ce chemin – me redire chaque jour : « Il ne tient qu'à moi. »

Je pose malgré tout mes affaires, hésitant quand même un instant à passer la nuit dans l'enceinte du temple, mais les serpents croisés en nombre refont surface, et je me ravise. M'étreint toutefois l'envie de revenir dans le sanctuaire à présent dépeuplé et rendu à sa solitude. Dans le vaste calme du jardin de ce lieu où résonne l'infini, à côté des bassins emplis de carpes, étendue sur un banc dans la tiédeur de ce soir d'été, je regarde s'enfuir l'astre solaire et s'éveiller une lune éclatante d'une rondeur faisant écho à la boucle parcourue. Une voûte étoilée de toute beauté apparaît sous mes yeux, myriades d'astres témoins de l'éternité. Ivresse de cette journée intense, euphorie face à ce jubilé cosmique en écho avec les vibrations fébriles du scintillement de toutes mes cellules. Je comprends alors que « au bout du monde comme au bout du temps, c'est soi-même que l'on retrouve, et c'est avec soi-même qu'il convient d'établir une paix durable[1] ».

1. Ella Maillart, *Archives*, Genève, citée par Amandine Roche, *Nomade sur la voie d'Ella Maillart*, Payot, 2005.

CINQUIÈME PARTIE

« *ULTREIA E SUS EIA !* »

« Toujours plus loin,
toujours plus haut ! »

Vous êtes maître de votre vie et qu'importe votre prison, vous en avez les clés.

DALAÏ LAMA

16

Au-delà de mes pas

22 août – Sayonara Shikoku…*
Konichiwa Koya-san !*

Dans l'enceinte du temple 1, assise sur le même banc que la veille, dans un silence profondément recueilli, je contemple le lever du monde sous les premiers rayons du jour qui dansent dans un halo de lumière. Je suis subjuguée par cette vie qui se dévoile. Renaissance de mon être qui s'éveille lui aussi à ce monde, habité d'un nouveau souffle. Lumière du matin, soleil qui sourit, la Vie qui sème les graines du Vivant. Rien à acquérir, rien à devenir, simplement laisser se déployer cette qualité d'être au cœur de l'instant, goûter la Vie que je suis. Aube d'un jour nouveau.

Le moment est venu de faire mes adieux à ce sol qui a usé mes semelles et régénéré mon être. Direction Koya-san. Pour y accéder, me voilà plongée pour la journée dans le monde des transports en commun et leur promiscuité, quotidien de grand nombre de Japonais. Entraînée dans une course après les horaires, je me laisse bercer par les annonces sibyllines de voix féminines au timbre aigu.

D'abord, le train pour Tokushima, où ma condition reconnaissable de *aruki* henro** me fait encore bénéficier des grâces des *o-settai**. Puis c'est en bus que je rejoins le port de Nankai. Du pont du bateau qui me conduit à l'île de Honshu, je regarde s'éloigner les rivages de cette terre, submergée par une émotion où s'entremêlent gratitude et émerveillement.

Difficile de résister au flot de nostalgie qui m'étreint à ce moment-là... Mes larmes viennent finir leur course dans le blanc mousseux du sillage. Je revois les temples, les bouddhas bienveillants, l'eau émeraude des ruisseaux, les forêts de bambous, les « ola des rizières », le tournoiement des volutes d'encens et les flammes vacillantes des bougies. Je ressens le frémissement des départs dans le chatoiement du jour naissant. Je me souviens de mon arrivée, de tous les visages croisés, de ces rencontres avec des êtres de lumière, des liens tissés au fil des jours, de cette communication si forte de cœur à cœur. Je garde une trace vivace de tous les gestes offerts dans la simplicité d'un accueil ou de quelques instants partagés. Je repense à ces prières élevées vers une transcendance dans une ferveur commune, sublime symphonie de la Terre et du Ciel. Forte de cette belle épopée, je sens en moi un nouvel élan vital pour retourner avec sérénité vers le rivage du pays de mon quotidien. Quiétude, infinie confiance et gratitude en guise de grands capitaines du navire.

Je suis touchée de voir tous les ponts qui relient les îles entre elles. Comme pour me signifier : tout est reliance, rien n'est séparé. L'aventure se poursuit. Tout est passerelle et nous sommes des passeurs.

Arrivée sur l'île de Honshu, au port de Wakayama. Train jusqu'à la gare de Wakayama-shi, puis un autre pour Wakayama, un troisième jusqu'à Hashimoto, et un dernier à travers des vallées étroites pour Gokurakubashi. Et, enfin, un téléphérique vertigineux dans un cadre naturel magnifique d'épaisses forêts, jusqu'à la gare d'arrivée à 900 mètres d'altitude, avant un dernier bus. Au cœur de huit montagnes évoquant pour Kûkai le Royaume de la Matrice, ce lotus à huit pétales où siège le Bouddha, se trouve le grand ensemble monastique de Koya-san, site principal du bouddhisme Shingon, visité chaque année par des milliers de pèlerins et qui compte aujourd'hui plus de 110 temples et une population de 7 000 moines. Le Shingon représente actuellement l'une des principales écoles bouddhistes au Japon après le shintoïsme.

22 au 26 août – Koya-san, fervente quiétude

Je suis attendue au *shukubo** du temple Muryokoin où la calligraphe du temple 1 a effectué une réservation en mon nom. L'accueil est des plus chaleureux. Les senteurs d'encens envoûtent immédiatement le nouveau venu. Le lieu est empreint de sérénité. Ma chambre est merveilleusement décorée de *fusuma*, ces cloisons coulissantes peintes par de grands maîtres au cours de leurs séjours à des époques lointaines. Des grues blanches, des fleurs et des branches légères s'offrent à mes yeux. Le jardin de pierre et de sable, culte du minéral épuré, est entouré d'arbres longilignes. Images d'Épinal d'un Japon enchanteur qui me transportent en des temps immémoriaux.

La cuisine traditionnelle Shôjin Ryôri, transmise par les moines dans le cadre de l'enseignement bouddhiste, excelle dans la recherche des goûts, des textures et des senteurs. Elle est minutieusement préparée à partir d'ingrédients d'origine végétale. Le plateau-repas, servi directement dans ma chambre, constitue une œuvre d'art pour tous les sens : palette de couleurs, fumets subtils et saveurs délicates. En fond sonore, les murmures rieurs des apprentis bonzes traversent la mince cloison qui sépare ma chambre de leur salle d'études.

Il est des lieux où, spontanément, la magie opère.

Au réveil, dans la pièce où a lieu la cérémonie du matin, une lueur vacille. Dans cette pénombre, j'ai l'heureuse surprise de voir émerger des silhouettes connues :

– Oh, Marianne, Olivier et Jienn, vous êtes là ! Comme ça me fait plaisir de vous voir !

– Ça alors, Marie-Édith ? Super !

Jolie coïncidence de nous retrouver là, sur les 52 *shukubo** que compte ce site. Sacré Kûkai !

Vêtus d'habits de couleur ocre, la tête rasée, les moines entonnent en canon des mantras envoûtants. Nous sommes assis en demi-cercle autour du célébrant chargé du rituel du feu. Il allume un bûcher qu'il attise en y jetant des bûchettes de sapin. En brûlant ainsi pensées et désirs néfastes, ce cérémonial aurait un pouvoir purificateur.

Après le petit-déjeuner aussi haut en couleur que le dîner de la veille, il nous tient à cœur d'aller rendre hommage à ce cher Kûkai. À la clé, également, l'ultime calligraphie sur notre *nôkyôchou** et, non des moindres, celle de l'Okuno-in, ce lieu saint où se trouve le Gobyo, mausolée de Kûkai.

Pour pénétrer dans cette enceinte sacrée, nous empruntons un chemin pavé qui traverse le plus grand cimetière de l'archipel sur plus de deux kilomètres. La croyance veut que le corps physique de Kûkai soit resté intact, en posture de méditation, attendant l'arrivée de Miroku, le Bouddha du futur. Selon un rituel immuable, des offrandes de nourriture lui sont apportées chaque jour pour le soutenir dans sa méditation. Suivant la prophétie, le jour où arrivera Miroku, Kûkai sortira de sa méditation et toutes les âmes en transit reposant au sein de ces sépultures s'élanceront à leur suite.

Dans la pénombre des cèdres millénaires, une brume légère descend sur l'agencement singulier de ces milliers de monuments en pierre. Tout invite à une contemplation silencieuse. Par sa présence à la fois tellurique et céleste, l'esprit du lieu règne en maître. Le sentiment du sacré s'accroît à mesure de notre progression sur cette allée qui s'anime sous nos yeux. Ces pierres nous racontent une histoire. Le temps semble s'être arrêté depuis la venue de Kûkai, en 816, pour y fonder un monastère.

Plus nous avançons, plus le silence s'impose. Lorsque la silhouette du Tôrô-Dô – ce Pavillon des Lanternes qui contient des centaines de lampions, dont certains brûleraient sans faiblir depuis plus de neuf cents ans – nous apparaît à travers les arbres, on sent que l'on se rapproche du cœur brûlant. Quelques mètres plus loin, dans une ferveur émue, nous arrivons enfin à la demeure éternelle du compagnon de nos pas. Atmosphère de cathédrale, à la fois majestueuse et recueillie. La prière ardente d'un peuple et le calme de l'éternité y sont en communion. Je reste longtemps seule, témoin attentif de la poésie éminente de ce site. Je dépose mes offrandes votives d'usage – bougies, encens et pièces de monnaie – avec une infinie gratitude pour ce maître spirituel qui m'a conduite à explorer la part divine de mon être et guidée, jour après jour, sur ce chemin de transformation alchimique. Ce lieu inspire à mon âme une paix profonde. Je caresse le Ciel. Je tutoie la Lumière.

Les quelques jours passés à Koya-san sont empreints de sérénité. Je continue mon infusion, à la mesure d'un temps qui s'écoule lentement. J'assiste à de nombreuses cérémonies et reçois les préceptes bouddhistes. Je partage des temps de méditation avec les moines. Temps d'assise, conscience élargie vers plus de plénitude. Je pratique également le *shakyo*, cet art consistant à calligraphier, au pinceau et à l'encre noire, les caractères chinois du Sutra du Cœur. Purs moments de pleine présence où le mental se tait. Je savoure aussi la visite de ce haut lieu de culte : le Kongobu-ji, sanctuaire majeur du bouddhisme Shingon, son vaste jardin de pierre et de sable, ou encore le Garan, cet ensemble de temples dont la Grande Pagode représente le centre de la fleur de lotus dans le mandala formé par les huit montagnes environnantes.

J'envisage un temps de reprendre mon sac à dos et mes pérégrinations aventureuses sur les chemins des montagnes environnantes. Mais, en raison de la pluie incessante et des nombreuses affiches alertant sur la présence d'ours dans les alentours, je m'abstiens et décide de me rendre à Osaka.

Le jour de mon départ, je suis assise, songeuse, sur la marche du temple, les pieds nus sur les planches lisses, savourant cet air humide dans lequel se côtoient fumées d'encens, émanations du bois vernis et fragrances de la nature. La pluie d'été tombe sur Koya-san. Joie simple d'écouter cette douce mélodie. Les gouttes tintent doucement sur l'auvent. Dans cette atmosphère paisible, la brume essaime ses filaments de dentelle ouateuse. Les formes se voilent puis se dévoilent. Les silhouettes des arbres millénaires apparaissent et disparaissent au rythme de cette danse diaphane. Moment de grâce. Un sentiment de plénitude m'envahit. Je suis. Je respire, véritable incantation de louange à la Vie. J'écoute simplement ce qui se vit en moi et autour de moi. Tout se pare d'or.

Un moine, anciennement homme d'affaires à Tokyo, avec qui j'avais déjà eu l'occasion d'échanger quelques mots, vient me rejoindre. Icône de la véritable beauté du cœur, il prend place à mes côtés. Cela fait maintenant quatre ans qu'il est à Koya-san.

– *Four years, Olympic Games !* (Quatre ans, Jeux olympiques !), me dit-il en éclatant de rire.

Son regard lumineux, la grâce de son maintien, la beauté de son sourire, tout en lui respire la bonté d'âme. Amour inconditionnel et joie profonde émanent de tout son être. Il porte sa présence radieuse tel un ornement céleste, diadème lumineux de sa royauté intérieure. Nous partageons une vraie présence tissée de silences dans une respiration commune. Fragment d'éternité. Son geste de prosternation à mes pieds, empreint de majesté et d'humilité, me va droit au cœur. Je le quitte imprégnée d'une puissance tranquille.

26 au 28 août – Osaka, la trépidante

Au sein du tumulte de la foule, plongée dans la vie trépidante d'Osaka, je redeviens touriste anonyme. Me voilà immergée dans le monde d'une mégalopole, aux antipodes de la sérénité de Koya-san :

passants pressés, personnages de dessins animés à tous les coins de rue, profusion d'enseignes lumineuses, univers sonore assourdissant où rivalisent de décibels la circulation et le vacarme électronique des *pachinko* (salles de jeux où se côtoient flippers et machines à sous). Dans cet environnement « urbain, trop urbain », mes jambes me portent là où bon leur semble. Je déambule et flâne d'une rue à l'autre.

Après ma lente infusion dans des eaux spirituelles, j'ai l'impression d'effectuer une remontée à la surface par paliers de décompression. Tel un sas de transition avant de retrouver la réalité de mon coutumier parisien.

Dans cet environnement, sans ma veste blanche de *henro** sur le dos, j'éprouve la curieuse impression d'être dénudée. À l'image d'un bernard-l'ermite qui, se développant, abandonne son ancienne carapace pour en acquérir une autre plus ajustée, mais se retrouve vulnérable durant cette transition. Alors que, sur le chemin de Shikoku, je m'étais toujours sentie portée par un amour généreux, dans cette grande ville où règne l'anonymat, sans la présence chaleureuse de mes deux fidèles bâtons à mes côtés, j'avoue toucher du doigt la solitude.

Je ressens intimement que les quelques jours passés à Koya-san marquent la fin de mon pèlerinage en terres nippones. J'avais initialement projeté de poursuivre ce voyage par des découvertes plus classiques telles la visite des temples de Kyoto, l'immersion dans la marée humaine de Tokyo, ou l'ascension du mont Fuji. Mais après l'intensité de mon vécu de pèlerine, je n'ai nulle envie de lieux ensevelis sous un tourisme de masse. Je décide donc finalement d'avancer mon retour en France de deux jours. Le temps est venu de tourner la clé dans la serrure de ma quotidienneté et d'en ouvrir la porte. Me vient l'image de l'art du thé, rituel ancestral dans ce pays. La durée d'infusion des feuilles de thé n'est pas sans incidence sur la qualité gustative du breuvage qui en découle. Il doit être soigneusement respecté. Trop peu de temps, la magie n'opère pas. Trop longtemps, l'amertume l'emporte. Comme une feuille de thé, j'ai progressivement infusé sur ce chemin du bout du monde. Je me suis immergée dans la réalité de cette terre bordée d'eau et m'en suis laissé imprégner. À présent, l'heure est venue de remonter à la surface pour exhaler la subtilité des saveurs de cette expérience singulière et en déguster les arômes.

Je retrouve avec plaisir Makoto et fais la connaissance de sa petite amie, une ravissante jeune femme. Nous partageons un dîner joyeux autour d'une spécialité d'Osaka, les *okonomiyaki*, entre la crêpe, l'omelette et la pizza. Soirée conviviale qui clôture en beauté ce périple au pays du Soleil levant.

Un nouveau soleil se lève en moi. L'aube d'un jour neuf s'annonce en Occident.

17

Clé de voûte

Une lumière éclatante pointe à l'horizon. Me voilà sur le seuil de mon appartement parisien. Je tourne ma clé dans la serrure de la porte d'entrée. Sans hâte et sans impatience, mais sans nostalgie ni mélancolie. Profondément sereine et intensément vivante. C'est ici et maintenant que tout commence. À l'issue de cette épopée, me voilà donc à l'aube d'un nouveau chemin des plus passionnants : celui de chaque jour à vivre pleinement, chaque nouvelle aurore comme renaissance et mise au monde.

Alors que le retour de Compostelle dans mon univers familier, entre murs étroits et trajets répétitifs sur des trottoirs d'asphalte, avait été déstabilisant, mon atterrissage en terre parisienne s'effectue, cette fois-ci, tout en douceur. Je suis portée par une autre qualité de conscience. Le Paradis, c'est ici et maintenant ! Là où je suis, se trouve la grande aventure du quotidien, celle qui mérite d'être pleinement vécue sans concession. Ma clé m'ouvre la porte à une nouvelle dimension de la réalité, tel un précieux sésame donnant accès à la caverne d'Ali Baba de chaque jour. Comme si ce que j'avais glané au rythme de mes pas venait à s'épanouir. Le somnambulisme ne mène plus le bal. Autour de moi, tout a gagné en densité. Qu'il est sublime d'être vivante dans le gracieux ballet de la ronde des jours !

Dans l'expression « vie quotidienne », il y a « Vie » et qui plus est en première place ! Lui redonner ses lettres de noblesse. Y voir la grâce permanente à l'œuvre. Le Paradis, c'est ici et maintenant ! Et les clés glanées au fil de mes pas m'en ouvrent la porte.

Vivre en pleine conscience

Je pénètre dans un nouveau territoire où il n'est plus question de monotonie. Je renoue le dialogue avec mon ordinaire qui s'est paré de neuf. Être là, maintenant, le plus consciemment possible. Ouverture sur un temps et un espace actualisés. Et dans cet éternel présent, nul besoin de clé pour y entrer.

> Être là ! Le secret. Il n'y a rien d'autre. Il n'est pas d'autre chemin pour sortir des léthargies nauséabondes, des demi-sommeils, des commentaires sans fin, que de naître enfin à ce qui est[1].

Et si, finalement, revenir était un mot encore plus beau que partir ? Peut-être fallait-il que j'aille cheminer aux confins du monde pour rentrer chez

---

1. Christiane Singer, *Où cours-tu ? Ne sais-tu pas que le ciel est en toi ?*, Albin Michel, 2001.

moi. Je cherchais sans doute à aller voir là-bas si j'y étais mais « je suis », tout simplement, ici et maintenant. J'ai été « voir ailleurs » pour mieux « voir ici », non pour me fuir ou me distraire, mais pour me chercher et me trouver. Au final, la plénitude et l'immensité auxquelles j'aspirais ne sont nulle part ailleurs qu'en moi.

J'ai « envoyé promener » ma conception fade du quotidien. J'ai ôté le bandeau qui m'obstruait la vue. J'ai paré de lunettes la myopie qui rendait flou mon univers. L'enchantement a remplacé la routine. Le ravissement s'est substitué à l'insipide. Je vais à la rencontre de chaque instant, telle une amoureuse au-devant de son bien-aimé : tendre étreinte, cœur à cœur, communion intime, embrasement de l'âme et de l'esprit... Oui, je suis éprise de chaque jour, émerveillée par le génie créateur à l'œuvre dans cette profusion de Vie.

« La vie éternelle est la vie ordinaire délivrée de nos ensommeillements[1] », nous confie Christian Bobin. Ne plus être la grande absente de mes heures et la déserteuse nomade de mes terres en friche. Ne plus rester à la surface des jours mais plonger avec délice dans les eaux fraîches de l'instant. Ne plus manquer au présent mais lui répondre avec ferveur : « Présente ! », lui rétorquer avec ardeur : « Vivante ! » Goûter avec intensité la saveur d'être.

---

1. Christian Bobin, *Un assassin blanc comme neige*, Gallimard, 2011.

« Alors l'esprit ne regarde ni en avant ni en arrière. Le présent seul est notre bonheur[1]. »

Alors que la guerre gronde au Proche-Orient, entrons en paix avec le proche instant ! N'élevons pas des murs de haine ou de résistance au cœur même de nos existences ! Les plus grands actes de terrorisme ont parfois lieu dans les tréfonds de nos êtres… Faisons triompher la Lumière au cœur de nos enténèbrements ! Ne soumettons pas notre ordinaire au renoncement et à la trahison.

Ce concept de présence au réel n'est certes pas nouveau pour moi. J'y ai été sensibilisée par mon apprentissage de la méditation de pleine conscience, mais aussi par l'enseignement reçu au village des Pruniers du célèbre moine bouddhiste vietnamien Thich Nhat Hanh, ou encore par ma découverte de Karlfried Graf Dürckheim. Mais la conscience que j'en ai se trouve renouvelée.

La lumière du Vivant a pris le pas sur l'ombre de l'ordinaire. Je ne fais plus de mes mirages d'ailleurs une condition de mon bonheur. Ma vie ne se conjugue plus au conditionnel. Être là où je suis physiquement, demeurer en chacun des mouvements que j'accomplis, apprécier chaque pas et chaque respiration. Savourer le nectar de chaque instant. Voilà

1. Johann Wolfgang von Goethe, *Faust*, Gallimard (« Bibliothèque de la Pléiade »), 1988.

d'ailleurs qui rejoint la sagesse ancestrale des grands maîtres de tout horizon : la clé d'accès au bonheur réside dans notre capacité à être pleinement présent.

> Il faudrait accomplir toutes choses et même les plus ordinaires, surtout les plus ordinaires – ouvrir une porte, écrire une lettre, tendre une main –, avec le plus grand soin et l'attention la plus vive, comme si le sort du monde et le cours des étoiles en dépendaient, et d'ailleurs il est vrai que le sort du monde et le cours des étoiles en dépendent[1].

L'extra est dans l'ordinaire. Changement de paradigme. Une nouvelle écologie intérieure est née, soutenue par la conscience éminemment vivante du miracle de chaque jour. Le quotidien n'est plus alors vécu comme une entrave. Il est le chemin.

Spiritualiser le quotidien

Au seuil de ma porte, j'entre dans un univers placé sous le sceau du mystère insondable d'une grande Présence qui y œuvre en secret. L'énigme d'une puissance qui me dépasse m'étreint. Tranquille certitude. Dans toutes nos activités de la vie humaine, la transcendance agit en silence et dépose l'empreinte du sacré. Quelque chose était là depuis toujours et je ne le voyais pas… J'appréhende désormais le monde avec un sens profond du prodige au-delà du

1. Christian Bobin, *L'Éloignement du monde*, Gallimard, 2001.

voile de la réalité. Empreindre le matériel de spirituel. Spiritualiser la matière. Le visible, telle une porte d'accès ouverte sur l'invisible. Voilà qui, pour moi, donne sens et consistance aux moindres actes. Soyons des croyants et des pratiquants du quotidien ! « Votre vie quotidienne est votre temple et votre religion. Lorsque vous y entrez, prenez-y tout votre être[1] », nous invite Khalil Gibran.

Soyons les alchimistes de notre ordinaire pour en faire jaillir la quintessence. Tâchons d'extraire l'or de chaque instant et d'œuvrer à la mise en lumière de son noyau divin. « Témoigner de la Grande Vie dans la petite existence et apprendre à l'accomplir[2]. » Le premier pas vers le Ciel ne commencerait-il pas à même le sol ?

Entrer en communion avec l'Être, Lui, le Tout-Autre, peu importent les myriades de représentations que l'on s'en fait et les identités que l'on y associe. Devenir demeure de ce plus grand que soi, calice de cette Lumière.

Le jour ne m'apparaît plus à travers le prisme d'une serrure étroite. Ma clé m'ouvre les portes d'un présent dans lequel il est question d'Essentiel au cœur de l'habituel. Donner à la vie courante une stature à la mesure de sa dimension sacrée. Le désir ardent de prendre soin du Vivant dans toutes ses formes s'impose de lui-même.

---

1. Khalil Gibran, *Œuvres complètes*, Robert Laffont, 2006.
2. Karlfried Graf Dürckheim, *Le Japon et la culture du silence*, Éditions Courrier du Livre, 1992.

Étonnement de ce regard neuf qui s'éveille à ce qu'il ne voyait pas auparavant. « Ce n'est pas la lumière qui manque à nos regards, ce sont nos regards qui manquent de lumière[1]. » Que n'ai-je pas négligé ! La splendeur du monde qui m'entoure est tout sauf quelconque ! Comme l'écrit Christiane Singer à propos de Tobit, personnage biblique guéri de sa cécité par son fils : « En perdant la vue fixe qui le rendait aveugle, en retrouvant des yeux qui s'émerveillent, il redevient entier, témoin à la fois du monde manifesté et de sa face cachée[2]. » Tout parle de cette grande Présence. La Vie ne s'achète pas, ne se marchande pas, elle se donne, partout et en abondance.

« Le véritable voyage ne consiste pas à chercher de nouveaux paysages, mais à avoir de nouveaux yeux[3]. » Au-delà de la matière brute, saisir l'invisible et percevoir l'impalpable. Prise de conscience vertigineuse qui fait naître à une autre manière d'être.

---

1. Gustave Thibon, *Notre regard qui manque à la lumière*, Fayard, 1990.

2. Christiane Singer, *Où cours-tu ? Ne sais-tu pas que le ciel est en toi ?*, Albin Michel, 2003.

3. Marcel Proust, *À la recherche du temps perdu*, t. III, *La Prisonnière*, Gallimard (« Bibliothèque de la Pléiade »), 1988.

Adopter une nouvelle posture d'être au monde

Le monde autour de moi n'a pas changé, mais je porte sur celui-ci un nouvel éclairage. Mon retour de l'Orient n'est pas vécu comme un « exil occidental ». J'éprouve la joie sincère de l'expatriée qui rentre au pays, non dans le sens patriotique du terme, mais dans ses terres intimes. Je suis partie découvrir une île, je ne savais pas que j'allais rencontrer un continent intérieur bien plus vaste que la Terre…

À la clé, le vers de Rimbaud, qui m'a accompagnée de nombreuses années, vient résonner en moi tout autrement : « Changer la vie[1]. » Ces mots sublimes m'encourageaient, il y a peu de temps encore, à remettre en cause le monde extérieur à grands cris d'idéaux, et à trouver des échappatoires dans des contrées lointaines. Aujourd'hui, ils m'invitent à tourner mon regard vers l'intérieur et à édifier en moi une nouvelle disposition du cœur.

« Soyez le changement que vous voulez voir dans le monde ! » exhortait Gandhi. Je pense aussi à ces paroles fécondes d'Etty Hillesum : « Je ne crois pas que nous puissions corriger quoi que ce soit dans le monde extérieur que nous n'ayons d'abord corrigé en nous[2]. » Dans les tumultes planétaires,

---

1. Arthur Rimbaud, *Une saison en enfer*, Gallimard (« Bibliothèque de la Pléiade »), 1972.

2. Etty Hillesum, *Une vie bouleversée*, Éditions du Seuil, 1995.

nous sommes tous responsables de l'humanité. Commençons par instaurer la paix en nous-mêmes. Amorçons le changement de l'intérieur pour déployer une attitude créatrice.

Ce n'était pas mon quotidien qui était absent de densité, c'était moi qui manquais au réel. Non plus subir mais recevoir. Non plus spectateur rêveur ou consommateur endormi, mais acteur responsable de notre monde. Nous oublions si souvent que notre présence sur cette planète relève du miracle ! Nous sommes tous dépositaires d'un potentiel de vie et nous avons la responsabilité de notre accomplissement. À chacun d'adopter une attitude disponible et réceptive aux multiples suggestions de bonheur, aussi infimes soient-elles, pour que l'ordinaire se trouve métamorphosé. « Il n'est pas de condition humaine, pour humble et misérable qu'elle soit, qui n'ait quotidiennement la proposition du bonheur. Pour l'atteindre, rien n'est nécessaire que soi-même[1]. »

Je touche du doigt cette « ivresse de renommer les choses comme au premier matin du monde[2] ». Chaque jour tel un nouveau voyage dans des contrées inédites. « La seule manière que nous ayons d'honorer la vie est d'oser l'aborder de neuf

---

1. Jean Giono, *La Chasse au bonheur*, Gallimard, 1991.
2. François Cheng, *Cinq méditations sur la beauté*, Albin Michel, 2006.

chaque jour sans la grever de nos attentes – oser l'unicité du jour neuf[1] ! » Il n'appartient qu'à nous de devenir les enchanteurs de notre monde. Rien ne va de soi, tout est don. Battement de cœur de mon existence. Il ne s'agit nullement, pour autant, de projeter un monde idéalisé ou d'embellir la réalité. Simplement regarder la vie en face avec lucidité, tout accueillir dans un nouvel état de conscience tourné vers l'invisible.

Et même si mon cœur ne cesse de vibrer à l'appel du grand large, je n'éprouve plus cet impérieux désir d'ailleurs. Le Vivant que je cherchais éperdument dans les confins du monde est déjà sur le pas de ma porte, à la portée de clé de mon ordinaire. Où allais-je chercher l'aventure avec tant d'ardeur et de zèle ? Où allais-je chercher le frémissement de la Vie ? Tout était déjà là…

> Cette sensation de libération qui naît des voyages ? Je peux l'éprouver en me rendant de Lisbonne à Benfica et l'éprouver de manière plus intense qu'en allant de Lisbonne jusqu'en Chine, car si elle n'existe pas en moi-même, cette libération pour moi n'existera nulle part[2].

Aujourd'hui, j'ai le goût du quotidien, une appétence immense pour ma vie au présent.

---

1. Christiane Singer, *Éloge du mariage, de l'engagement et autres folies*, Albin Michel, 2000.
2. Fernando Pessoa, *Le Livre de l'intranquillité*, Bourgois, 1999.

Poétiser le monde

Friedrich Hölderlin notait superbement : « Il faut habiter poétiquement la terre[1]. » Rilke lui emboîtait le pas en pointant du doigt le pouvoir transfigurateur de notre perception : « Si votre quotidien vous paraît pauvre, ne l'accusez pas. Accusez-vous vous-même de ne pas être assez poète pour appeler à vous ses richesses[2]. »

Cela n'est pas un concept abstrait issu des méandres d'esprits lyriques. La poésie est à l'œuvre dans toutes ces choses infimes dont nous ne nous étonnons plus, trop occupés que nous sommes à nous dépêcher de vivre, trop ensommeillés par une routine lancinante ou trop encombrés par les filtres de notre mental.

Dans le creuset de l'ordinaire, un parfum de poésie s'évade à l'infini : les senteurs d'un jardin au crépuscule, le mystère indicible d'une aurore, un éclat de rire, la délicatesse d'un geste, une fleur sauvage qui se dresse vers l'immensité, le chatoiement d'une étoffe, quelques notes de blues, l'oiseau porté par un souffle, le bleu d'un ciel d'azur, l'odeur du pain frais, l'éclat du regard de l'enfance, la mélodie d'un feu de cheminée, une page blanche recouverte de mots d'encre, sur le rebord d'une fenêtre, à l'angle d'une rue… Chaque détail du réel peut se nimber

---

1. Friedrich Hölderlin, « En bleu adorable », *Œuvres*, Gallimard (« Bibliothèque de la Pléiade »), 1977.

2. Rainer Maria Rilke, *Lettres à un jeune poète*, Grasset, 1937.

d'or. La lumière peut poindre à travers tout. Mille et une occasions de s'émerveiller. Autant de raisons d'œuvrer à un monde plus conscient qui clame l'enchantement d'être convié à ce miracle !

Cultiver la gratitude

Ce puissant ressenti chevillé au corps, le mépris pour l'existence quotidienne n'est plus de mise. Tout devient prétexte à gratitude. Il n'est pas question d'une béatitude naïve, mais d'une modalité d'être source de joie.

Il m'importe de maintenir chaque jour le rituel de l'« *arigato time* », ce moment privilégié de remerciements, pour entretenir cette nouvelle posture face à mon existence. Rendre hommage à la Vie, lui témoigner ma reconnaissance et mon émerveillement de prendre part à son prodige. La louange sur les lèvres et la célébration dans le cœur.

18

Une voie initiatique, clé de transformation

Cette aventure inoubliable a été un pas décisif sur mon itinéraire spirituel. Il ne s'agit pas d'un état éphémère vécu dans un contexte spécifique, mais bel et bien d'une lame de fond à la portée puissante. On ne part pas impunément sur un chemin de pèlerinage. À travers la signalétique indiquant la direction à suivre d'un temple à l'autre, c'est mon existence qui a pris davantage sens et consistance.

Sans que je sache moi-même initialement ce que je venais chercher et les raisons souterraines m'ayant conduite sur ce chemin, celui-ci me l'a généreusement dévoilé au fil de mes pas. Ce flot de vie m'a entraînée dans une pérégrination intime. « Tout voyage, toute aventure se double d'une exploration intérieure. Il en est de ce que nous faisons et de ce que nous pensons comme de la courbe extérieure d'un vase : l'un modèle l'autre[1]. »

Au pays du Soleil levant, j'ai marché vers l'Orient de mon âme. Je me suis laissé guider, ma boussole

1. Marguerite Yourcenar, *Les Yeux ouverts*, Le Centurion, 1980.

intérieure aimantée par cette source de lumière. J'ai traversé l'obscurité dans laquelle m'avait plongée une crise du sens. À l'image des dieux des civilisations antiques qui détenaient les clés des Portes du Jour, qu'ils ouvraient pour laisser place à l'aube, un nouveau soleil s'est levé en moi. Je me souviens d'ailleurs que mes parents ont hésité à m'appeler Aurore en raison du superbe lever du jour qui a accompagné ma venue au monde, un matin de mai 1979. Mon aventure nippone est aussi l'histoire d'un enfantement à une nouvelle aurore. Pas après pas, une gestation a eu cours. Si ma première naissance s'est effectuée par la chair de ma mère, sur cet archipel japonais, au sein de cette matrice enveloppante, j'ai été invitée à renaître à la Vie. Un être neuf a surgi en moi, à la fois autre et plus profondément moi-même. La nuit s'achève, le jour commence. Nouvelle Aurore…

Naître et renaître sans cesse vers un surcroît de conscience et d'éveil, ne serait-ce pas là notre mandat céleste ?

Ces milliers de pas déployés dans la succession des jours n'auraient pu être qu'une itinérance sportive ou un temps de dépaysement exotique. Mais cette marche s'est doublée, avec force et douceur, d'un voyage intérieur, voie féconde de croissance spirituelle. Dans la béance du manque que je ressentais confusément, ce chemin a opéré en moi une véritable catharsis vers plus de cohérence et de plénitude.

Petit à petit, il est devenu initiatique, ponctué d'une multitude de clés à glaner au fil des jours.

Des fermentations secrètes ont eu cours en moi. À l'image du raisin qui passe par la mort dans le pressoir avant de connaître le processus vital de fermentation dans la mise en tonneau, pour renaître ensuite en vin nouveau. Ou encore, tel le grain de blé qui, broyé dans la meule du moulin, se transforme ensuite en substance nourricière dans un processus de régénération. Une alchimie a eu lieu dans mes profondeurs. La source de mon être a été désensablée. Comme si, en exil de moi-même jusqu'à présent ou trop à l'étroit dans un petit moi, je m'étais retournée vers un vaste monde intérieur où se déploie la conscience de l'Absolu. Mon bâton de pèlerine m'a menée au centre de mon être. Fabuleux voyage que celui de l'exploration de mon âme ! Sur ce chemin des 88 temples, empreint de la symbolique du chiffre 8, expression de l'illimité, j'ai touché l'infini en moi. Dans cette ronde des temples, j'ai tourné dans le sens des aiguilles d'une montre comme pour mettre mes pendules à l'heure du noyau divin de mon être. Un tour de l'âme en 88 temples… « Bien que le corps agisse, c'est l'âme qui fait le chemin[1] », souligne Pierre-Yves Albrecht.

La voie parcourue s'apparente à un chemin de délivrance : libération de cette sensation d'incomplétude

---

1. Annick de Souzenelle et Pierre-Yves Albrecht, *L'Initiation. Ouvrir les portes de notre cité intérieure*, Éditions du Relié, 2013.

et d'enfermement qui me tenaillait jusque-là. Je me croyais prisonnière d'un quotidien sédentaire. J'ai découvert que je suis libre et que la réponse à l'appel de mon être n'est pas dans un ailleurs mais qu'elle est spirituelle.

La vitre blindée qui me masquait jusqu'alors les joyaux offerts chaque jour s'est fissurée pas après pas, pour finalement céder et mettre à découvert le grandiose de ce qui est. Une brèche s'est ouverte dans cette grand-voile opaque de l'ordinaire. Une roseraie s'est mise à fleurir sur un sol laissé jusque-là en jachère. Comme dans les contes ou les récits mythologiques, les trésors sont finalement là où sommeillent les dragons. Derrière mon quotidien endormi étaient bien gardées des perles précieuses.

Je ne suis pas revenue indemne de cette aventure, mais éminemment plus vivante. J'ai grandi en présence, j'ai élargi le champ de ma conscience. Une nouvelle force de vie m'anime vers plus de paix, d'harmonie et de cohérence. Je suis portée par une spiritualité davantage incarnée. Conscience joyeuse d'être et d'être une avec le Vivant. Joie simple de ma présence au cœur du mystère. Je remercie le miracle divin de mon existence. Un grand « Oui » s'est réveillé en moi. Un souffle nouveau m'habite. Je souris à la Vie qui m'entraîne… Infinie gratitude.

ÉPILOGUE

Promesses d'éternité

> Vous devez tracer des chemins dans l'Inconnu, c'est à cela que servent votre logis et vos vêtements.
>
> Henry David THOREAU

Avec une soif inextinguible, j'ai ouvert le coffre des trésors du quotidien et brisé les idoles de ma conception fade de la réalité. Plus rien n'est tout à fait comme avant. Tout est intensément plus vivant. La ronde continue. Le pont est dressé entre l'ici et l'ailleurs. D'invisibles liens sont tissés entre l'ordinaire et l'absolu. Le quotidien est à lui seul un voyage. Chaque jour est à lui seul une destination et le champ de tous les possibles. Vivre est en soi une aventure. Le Paradis est à portée de clé.

« Soyez toujours un débutant[1]. » Sur le chemin de Shikoku, une graine d'éveil a été semée en moi mais il m'incombe d'en prendre soin pour qu'elle poursuive sa croissance vers la lumière. Il m'appartient de mettre en pratique les clés de transformation

1. Shunryu Suzuki, *Esprit zen esprit neuf*, Seuil, 1977.

glanées au rythme de mes pas, pour qu'elles deviennent réalités tangibles dans mes activités quotidiennes. La mise au monde est à recommencer en conscience à chaque nouvelle aurore. Je suis toujours en marche. Le pèlerinage se poursuit heure après heure. Avancer sans cesse. Rien n'est jamais acquis.

Je ne prétends en aucun cas proposer une vérité toute faite. La vie n'est pas un programme « clés en main ». À chacun appartient son propre chemin, à chacun de le tracer. Mais je formule sincèrement le vœu que, tous, nous puissions être des témoins éveillés du miracle d'être vivants et de participer à la merveille du monde. « La joie est l'air du Monde Nouveau[1]. » Soyons, chacune, chacun, des passeurs de l'invisible, des passeurs de Vie enthousiastes à la joie contagieuse ! Et que, tous ensemble, nous œuvrions intensément à prendre soin de la moindre parcelle de Vie sous toutes ses formes et unissions nos voix dans un hymne vibrant au Vivant !

Demain s'annonce une page blanche… Chaque minute tel un premier commencement, d'instants en instants, d'éternité en éternité, « de commencements en commencements vers des commencements qui n'auront jamais de fin[2] ».

---

1. *Dialogues avec l'Ange*, Aubier, 2007.
2. Grégoire de Nysse, *La Colombe et la Ténèbre*, Cerf, 1991.

ANNEXES

GLOSSAIRE

Arigato gozaimasu : merci beaucoup.
Aruite, aruki : à pied.
Bento : repas traditionnel disposé dans une boîte compartimentée.
Daishido : sanctuaire dédié à Kûkai.
Fuda : étiquettes sur lesquelles le pèlerin écrit son nom, son adresse et un vœu, qu'il dépose dans les urnes des temples. Il peut aussi les offrir en guise de remerciement et de porte-bonheur.
Gambatte kudasai ! Kio tsukete ! : bon courage ! Prenez soin de vous !
Henro : pèlerin des 88 temples.
Henro korogashi : littéralement, « culbuteur de pèlerins ». Ce sont des étapes où les montées sont conséquentes, exigeantes physiquement et effectuées sur des chemins raides, ardus et glissants par temps de pluie.
Hondo : sanctuaire dédié à Bouddha.
Kampai ! : santé !
Kanji : idéogrammes empruntés à l'écriture chinoise.
Koan : courte phrase ou brève anecdote absurde ou paradoxale utilisée dans certaines écoles du bouddhisme zen comme objet de méditation ou pour déclencher l'éveil.
Konbini : supérette multiservice ouverte 24 heures sur 24, 7 jours sur 7.

Konichiwa : bonjour.
Minshuku : auberge traditionnelle.
Moshi moshi ? : allô ?
Nôkyôchou : carnet que le pèlerin fait tamponner et calligraphier à chaque temple.
O-furo : bain traditionnel japonais.
Ohayô gozaimasu : bonjour.
Onigiri : boulette de riz.
Onsen : source d'eau chaude.
O-settai : offrande faite au pèlerin.
Ryokan : auberge traditionnelle.
Sayonara : au revoir.
Shukubo : auberge pour pèlerins, attachée au temple.
Sugoi : fantastique.
Umeboshi : prune salée et aigre.
Wagesa : étole que le pèlerin porte autour du cou.
Yukata : kimono en coton léger.
Zenkonyado : logement gratuit ou peu onéreux pour les *henro** à pied.

SHIKOKU PRATIQUE

Y ALLER

Formalités administratives

Les voyageurs en provenance de France, de Belgique et du Canada peuvent rester sur le territoire japonais jusqu'à trois mois sans visa, et les voyageurs en provenance de Suisse jusqu'à six mois. Un passeport en cours de validité suffit pour ce voyage.

Accès

Plusieurs solutions s'offrent à vous.

La plupart des visiteurs arrivent à Shikoku par le train en provenance d'Okayama ou en bus d'Osaka, de Kyoto ou de Tokyo.

Des vols intérieurs desservent aussi les principales villes de Shikoku au départ de Tokyo, d'Osaka et d'autres grandes villes.

De France, le plus simple est d'arriver directement à l'aéroport d'Osaka (Kansai Airport), puis de prendre un bus direct pour Naruto ou Tokushima (4 500 ¥, durée 2 h 45) pour rejoindre le point de départ du pèlerinage (temple 1). Le billet pour prendre ce bus s'achète au comptoir d'information (« Tourist Information Center ») à l'aéroport.

QUAND PARTIR ?

Le printemps (mars à mai) et l'automne (octobre et novembre) offrent les conditions idéales pour effectuer le pèlerinage de Shikoku.

Juin correspond à la saison des pluies.

En été, la chaleur est moite et étouffante. La côte Pacifique est souvent touchée par les typhons de juin à octobre.

En hiver, le climat est rude. Il neige dans les montagnes.

L'ITINÉRAIRE

Le pèlerin commence le *henro michi* (chemin de pèlerinage) au temple 1, Ryozen-ji, dans la préfecture de Tokushima. Il fait le tour de Shikoku dans le sens des aiguilles d'une montre, d'un sanctuaire à l'autre, jusqu'au temple 88, Okubo-ji, dans la province de Kagawa, avant de revenir à son point de départ initial, selon la tradition du *Kechigan*.

Il est possible de le réaliser en sens inverse mais le balisage est moins présent, rendant le parcours plus difficile.

Les pèlerins effectuent 1200 kilomètres (1400 si l'on tient compte des 20 temples supplémentaires).

Six kilomètres après le temple 87 se trouve le *Maeyama Ohenro Kôryu*, où est délivrée l'attestation du pèlerinage, équivalent de la Compostela pour les pèlerins de Compostelle.

Le pèlerinage des 88 temples se termine traditionnellement à Koya-san (sur l'île de Honshu), au mausolée de Kûkai où le pèlerin reçoit le dernier tampon de l'Okuno-in sur son carnet de calligraphies.

BALISAGE

Le chemin de Shikoku est, dans son ensemble, bien balisé.

Le balisage est composé de :

– flèches rouges ;

– *henro** rouge et blanc ;

– bornes en pierre avec le numéro et le nom du temple (le *kanji** signifiant temple,寺, est un précieux indice à repérer) ou une main indiquant la direction à suivre ;

– parfois, deux *kongo* (armes de Kûkai combattant l'ignorance) croisés, formant un X et peints en noir.

LES 88 TEMPLES

La symbolique

En ce qui concerne ce nombre, diverses interprétations ont été émises.

Le chiffre 8 est intimement lié à Bouddha, souvent représenté au centre d'un lotus à huit pétales.

On peut aussi y voir un lien avec les 88 passions que le bouddhisme considère comme nuisibles et dont le pèlerinage permettrait de se libérer.

Une autre interprétation repose sur l'addition des âges considérés comme néfastes dans le calendrier bouddhiste, à savoir 42 ans pour les hommes, 33 pour les femmes et 13 pour les enfants (42 + 33 + 13 = 88).

On peut également envisager que les 88 temples principaux et les 20 secondaires se répartissent comme les grains d'un chapelet sur la périphérie de l'île, atteignant ainsi 108, le nombre sacré du bouddhisme à haute valeur symbolique : les 108 perles du *mala* (le chapelet bouddhiste, fidèle compagnon du pratiquant), les 108 épreuves subies par le Bouddha pour atteindre l'Illumination, les 108 noms du Bouddha, les 108 passions que doit surmonter le fidèle afin de se rapprocher de son idéal de méditation et d'ascétisme, les 108 prosternations dans le bouddhisme tibétain pour se libérer des 108 tourments, les 108 *mudra* dans le Tantra, les 108 positions corporelles dans le yoga, les 108 feux allumés au Japon dans les cérémonies du culte des morts, les 108 tombeaux extérieurs au mont Hiei près de Kyoto, les 108 coups de gong frappés la nuit du 31 décembre au 1er janvier pour délivrer les hommes de leurs mauvais penchants.

Liste des 88 temples

Préfecture	N° du temple	Nom du temple	Traduction
Temples 1 à 23 : le chemin de l'Éveil 発心 Awa (actuelle province de Tokushima)	1	Ryōzen-ji (霊山寺)	Montagne Sacrée
	2	Gokuraku-ji (極楽寺)	Paradis
	3	Konsen-ji (金泉寺)	Source d'Or
	4	Dainichi-ji (大日寺)	Grand Soleil
	5	Jizō-ji (地蔵寺)	Temple de Jizo
	6	Anraku-ji (安楽寺)	Joie Perpétuelle
	7	Jūraku-ji (十楽寺)	Dix Joies
	8	Kumadani-ji (熊谷寺)	Vallée de l'Ours
	9	Hōrin-ji (法輪寺)	Roue du Dharma
	10	Kirihata-ji (切幡寺)	Coupe-Habit
	11	Fujiidera (藤井寺)	Source aux Glycines
	12	Shōzan-ji (焼山寺)	Montagne Brûlée
	13	Dainichi-ji (大日寺)	Grand Soleil
	14	Jōraku-ji (常楽寺)	Éternelle Béatitude
	15	Kokubun-ji (国分寺)	Temple Provincial
	16	Kanon-ji (観音寺)	Kannon, Déesse de la Pitié
	17	Ido-ji (井戸寺)	Puits
	18	Onzan-ji (恩山寺)	Montagne de Grâces
	19	Tatsue-ji (立江寺)	Debout
	20	Kakurin-ji (鶴林寺)	Bois aux Grues
	21	Tairyū-ji (太竜寺)	Gros Dragon
	22	Byōdō-ji (平等寺)	Égalité, Impartialité
	23	Yakuō-ji (薬王寺)	Roi de la Médecine

Temples 24 à 39 : le chemin de l'Ascèse 修行 Tosa (actuelle province de Kochi)	24	Hotsumisaki-ji (最御崎寺)	Cap Extrême (Cap Muroto)
	25	Shinshō-ji (津照寺)	Port Brillant
	26	Kongōchō-ji (金剛頂寺)	Sommet de l'Émail
	27	Kōnomine-ji (神峰寺)	Pic des Dieux
	28	Dainichi-ji (大日寺)	Grand Soleil
	29	Kokubun-ji (国分寺)	Temple Provincial
	30	Zenraku-ji (善楽寺)	Joie Sincère
	31	Chikurin-ji (竹林寺)	Bambouseraie
	32	Zenjibu-ji (禅師峰寺)	Pic du Moine
	33	Sekkei-ji (雪蹊寺)	Chemin Enneigé
	34	Tanema-ji (種間寺)	Semence Espace
	35	Kiyotaki-ji (清滝寺)	Cascade Pure
	36	Shōryū-ji (青竜寺)	Dragon Bleu
	37	Iwamoto-ji (岩本寺)	Origine du Roc
	38	Kongōfuku-ji (金剛福寺)	Bonne Fortune du Diamant
	39	Enkō-ji (延光寺)	Longue Lumière
Temples 40 à 65 : le chemin de l'Illumination 菩提 Iyo (actuelle province d'Ehime)	40	Kanjizai-ji (観自在寺)	Avalokiteshvara
	41	Ryūkō-ji (竜光寺)	Lumière du Dragon
	42	Butsumoku-ji (佛木寺)	Arbre du Bouddha
	43	Meiseki-ji (明石寺)	Pierre de Lumière
	44	Daihō-ji (大宝寺)	Grand Joyau
	45	Iwaya-ji (岩屋寺)	Grotte, Caverne
	46	Jōruri-ji (浄瑠璃寺)	Lumière de Lapis-Lazuli
	47	Yasaka-ji (八坂寺)	Huit Pentes
	48	Sairin-ji (西林寺)	Bois de l'Ouest
	49	Jōdo-ji (浄土寺)	Paradis
	50	Hanta-ji (繁多寺)	Extrême Occupation
	51	Ishite-ji (石手寺)	Main de Pierre
	52	Taizan-ji (太山寺)	Grande Montagne
	53	Enmyō-ji (円明寺)	Illumination Circulaire
	54	Enmei-ji (延命寺)	Longue Vie
	55	Nankōbō-ji (南光坊)	Lumière du Sud
	56	Taisan-ji (泰山寺)	Montagne de la Paix
	57	Eifuku-ji (栄福寺)	Bonne Fortune, Prospérité
	58	Senyū-ji (仙遊寺)	Ermite en Méditation

<table>
<tr><td rowspan="7"></td><td>59</td><td>Kokubun-ji (国分寺)</td><td>Temple Provincial</td></tr>
<tr><td>60</td><td>Yokomine-ji (横峰寺)</td><td>Pic Latéral</td></tr>
<tr><td>61</td><td>Kōon-ji (香園寺)</td><td>Parfums</td></tr>
<tr><td>62</td><td>Hōju-ji (宝寿寺)</td><td>Prospérité et Longévité</td></tr>
<tr><td>63</td><td>Kichijō-ji (吉祥寺)</td><td>Bon Présage</td></tr>
<tr><td>64</td><td>Maegami-ji (前神寺)</td><td>Face de Dieu</td></tr>
<tr><td>65</td><td>Sankaku-ji (三角寺)</td><td>Triangle</td></tr>
<tr><td rowspan="23">Temples 66 à 88 : le chemin du Nirvana 涅槃 Sanuki (actuelle province de Kagawa)</td><td>66</td><td>Unpen-ji (雲辺寺)</td><td>Voisinage des Nuages</td></tr>
<tr><td>67</td><td>Daikō-ji (大興寺)</td><td>Grande Prospérité</td></tr>
<tr><td>68</td><td>Jinnein (神恵院)</td><td>Bénédiction des Dieux</td></tr>
<tr><td>69</td><td>Kanon-ji (観音寺)</td><td>Kannon</td></tr>
<tr><td>70</td><td>Motoyama-ji (本山寺)</td><td>Montagne Principale</td></tr>
<tr><td>71</td><td>Iyadani-ji (弥谷寺)</td><td>Huit Vallées</td></tr>
<tr><td>72</td><td>Mandara-ji (曼荼羅寺)</td><td>Mandala</td></tr>
<tr><td>73</td><td>Shusshaka-ji (出釈迦寺)</td><td>Apparition de Bouddha</td></tr>
<tr><td>74</td><td>Kōyama-ji (甲山寺)</td><td>Montagne Armée</td></tr>
<tr><td>75</td><td>Zentsu-ji (善通寺)</td><td>Droit Chemin</td></tr>
<tr><td>76</td><td>Konzō-ji (金倉寺)</td><td>Entrepôt d'Or</td></tr>
<tr><td>77</td><td>Dōryu-ji (道隆寺)</td><td>Noble Voie</td></tr>
<tr><td>78</td><td>Gōsho-ji (郷照寺)</td><td>Illumination du Village</td></tr>
<tr><td>79</td><td>Tennō-ji (天皇寺)</td><td>Haute Illumination</td></tr>
<tr><td>80</td><td>Kokubun-ji (国分寺)</td><td>Temple Provincial</td></tr>
<tr><td>81</td><td>Shiromine-ji (白峯寺)</td><td>Pic Blanc</td></tr>
<tr><td>82</td><td>Negoro-ji (根香寺)</td><td>Arbre Aromatique</td></tr>
<tr><td>83</td><td>Ichinomiya-ji (一宮寺)</td><td>Premier Temple Shinto</td></tr>
<tr><td>84</td><td>Yashima-ji (屋島寺)</td><td>Île du Toit</td></tr>
<tr><td>85</td><td>Yakuri-ji (八栗寺)</td><td>Huit Marrons</td></tr>
<tr><td>86</td><td>Shido-ji (志度寺)</td><td>Remplir ses Vœux</td></tr>
<tr><td>87</td><td>Nagao-ji (長尾寺)</td><td>Grande Queue</td></tr>
<tr><td>88</td><td>Ōkubo-ji (大窪寺)</td><td>Grande Cavité</td></tr>
</table>

LES TEMPLES ET LEURS RITUELS

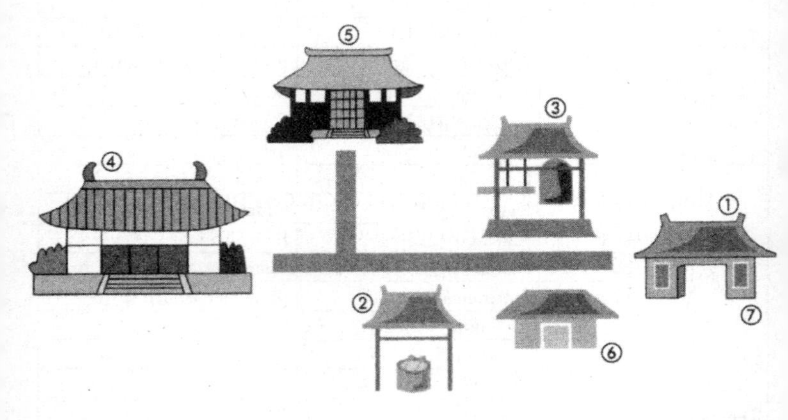

① La porte principale
Joindre les mains sur la poitrine et se prosterner.

② La fontaine
Puiser de l'eau à l'aide d'une petite casserole en forme de louche pourvue d'un long manche en bois, la verser d'abord sur la main gauche puis sur la droite et se rincer la bouche avant de s'essuyer sur l'une des serviettes blanches à disposition.

③ Le gong
Faire sonner le gong, si le voisinage le permet.
Attention : faire sonner la cloche en partant porte malheur.

④ Le *hondo** : temple principal dédié à Bouddha (本堂)

Suivre la direction donnée par le panneau d'un petit personnage en carton souriant sur lequel sont notés les *kanji** 本堂.

Allumer une petite bougie blanche, la déposer à l'abri du vent sous une verrière et, à partir de cette flamme, allumer trois bâtons d'encens puis les planter dans le sable d'une vasque prévue à cet effet.

Monter ensuite les quelques marches du *hondo**, actionner une corde pour faire retentir une cloche ou un grelot en fonction des sanctuaires.

Faire une offrande de quelques pièces de monnaie dans un grand tronc en bois.

Déposer un *fuda** dans une boîte métallique. Y inscrire son nom, la date, éventuellement son âge et son adresse, et les souhaits que l'on porte sur ce chemin de pèlerinage.

Il est d'usage de chanter le Sutra du Cœur et le Gohonzon Shigon (mantra dédié à la divinité principale révérée dans ce sanctuaire), mais l'on peut également simplement joindre les mains en silence.

⑤ Le *daishido** : temple dédié à Kûkai (大師堂)

Repérer les *kanji** 大 師堂 sur le petit personnage en carton.

Reproduire le même rituel qu'au *hondo** : la bougie, les bâtons d'encens, la montée des marches, la cloche, l'offrande, le *fuda** et le texte canonique du Sutra du Cœur.

⑥ Le bureau du calligraphe (納経所)

Suivre la direction indiquée par les *kanji** 納経所 sur un autre personnage en carton.

Moyennant 300 ¥, faire tamponner et calligraphier son *nôkyôchou** au bureau du calligraphe, qui le rend avec un *o-sugata*, petite feuille blanche représentant le *honzon* du temple (divinité Shingon vénérée précisément dans ce sanctuaire), à glisser dans le carnet.

Le bureau du calligraphe est ouvert entre 7 heures et 17 heures. Prévoir du temps car l'attente peut être longue aux périodes d'affluence.

⑦ La porte principale

En sortant du temple, se retourner et s'incliner, mains jointes, en remerciant.

LE SUTRA DU CŒUR

Ce texte, composé de 262 caractères chinois, est appelé « Sutra du Cœur » car il contient le cœur de l'enseignement de la Prajnaparamita (ensemble de textes du bouddhisme Mahayana ou bouddhisme du Grand Véhicule). Le pèlerin le trouve dans le topoguide indispensable à son cheminement. En voici la traduction :

« Le Bodhisattva de la liberté et de la compassion vraies, par la pratique profonde de la grande sagesse, comprit que le corps et les cinq agrégats (sensation, perception, pensée, activité, conscience) ne sont que vide, Ku, et par cette compréhension, il aide ceux qui souffrent. Ô Sariputra, les phénomènes ne sont pas différents du vide, et le vide n'est pas différent des phénomènes. Les phénomènes deviennent vide, et le vide devient les phénomènes (la forme est vide et vide est la forme), et les cinq agrégats sont eux-mêmes les phénomènes. Ô Sariputra, chaque existence a cette caractéristique du vide.

Il n'y a aucune naissance (commencement), aucune mort (fin), aucune pureté, aucune tache, aucune augmentation, aucune diminution. Pour cette raison, dans le vide, il n'y a aucune forme, aucun agrégat, aucun œil, aucune oreille, aucun nez, aucune langue, aucun corps, aucune conscience, il n'y a aucune couleur, aucun bruit, aucune odeur, aucun goût, aucun contact, aucun objet de pensée, aucune connaissance, aucune ignorance, aucune illusion de déclin et de mort, aucune origine de douleur, aucune cessation de douleur, aucune sagesse, aucun profit, aucun non-profit.

Pour le Bodhisattva, en raison de cette sagesse qui mène plus loin, n'existent aucune crainte, aucune appréhension. Toute l'illusion, chaque attachement sont enlevés et il peut saisir la fin finale de la vie, le Nirvana. Chaque Bouddha du passé, présent et futur, par ce mantra incomparable et insurpassable qui fait trouver la réalité authentique, le vide, peut atteindre la compréhension de cette sagesse suprême qui libère de toute douleur, voici ce mantra :

“Allez, allez, allez ensemble plus loin sur le rivage du *satori* (jusqu’à l’Éveil). *Hannya Shingyo !*” »

L’ÉQUIPEMENT

L’équipement de base

L’équipement de base est identique à tout voyage à pied et au long cours, type Compostelle, la légèreté en ligne de mire.

Pense-bête spécial Shikoku :

– des chaussures faciles à enfiler, alliant confort et aspect pratique car on se déchausse fréquemment au Japon ;

– des chaussettes en bon état, en prévision des nombreuses fois où vous devrez les exposer ;

– nul besoin de duvet ou de sac à viande, hormis si vous optez pour les nuits à la belle étoile ;

– une lampe de poche ou une frontale pour vous signaler dans les sombres tunnels ;

– une petite trousse de secours d’urgence.

L’équipement du pèlerin de Shikoku

À Shikoku, l’habit fait le pèlerin ! On peut acheter l’équipement du pèlerin au temple 1, Ryozen-ji.

Le pèlerin est vêtu de blanc, couleur du deuil au Japon, signifiant ainsi sa mort au monde pendant la durée de son pèlerinage, lequel, une fois accompli, constitue une renaissance.

Le vêtement traditionnel n'est pas obligatoire mais, en portant certains attributs (au moins la veste blanche et le bâton), vous serez reconnu en tant que *henro** et bénéficierez ainsi d'une considération dont ne jouit pas le marcheur anonyme, et du soutien sans faille des habitants de Shikoku, *o-settai** garanties !

① Le chapeau : *sugagesa* (菅笠), 1 500 à 3 000 ¥
De forme conique traditionnelle, en paille, il sert à protéger de la pluie et du soleil. Il n'est pas nécessaire de l'enlever dans les temples. Il est mentionné dessus « *Dougyou Ninin* », c'est-à-dire « Les deux

vont ensemble », signifiant que Kûkai accompagne le pèlerin en marchant à ses côtés.

② La veste blanche : *hakui* (白衣), 2 000 à 3 500 ¥
Elle peut être à manches longues ou courtes. En général, elle porte l'inscription religieuse « *Namu Daishi Henjo Kongo* » (littéralement « Vive le Daishi, diamant qui illumine tout »), formule de louange à l'adresse de Kûkai, suivie de « *Dougyou Ninin* », comme sur le chapeau.

③ Le rosaire : *juzu* (数珠), 2 000 à 6 500 ¥
Ce chapelet bouddhiste est enroulé entre les mains jointes lors des prières, afin de faire disparaître les illusions et obtenir la grâce divine.

④ La cloche : *jirei* (持鈴), 1 000 à 1 500 ¥
On la fait tinter lors de la récitation officielle d'un sutra.

⑤ Le sac : *zudabukuro* (頭陀袋), 1 000 à 2 500 ¥
Il sert à ranger les objets religieux nécessaires au pèlerinage : carnet à calligraphies, encens, bougies, *fuda**, etc.

⑥ L'étole : *wagesa** (輪袈裟), 2 000 à 3 500 ¥
Portée autour du cou, elle peut être marquée de l'inscription « *Shikoku Hachijuhakkasho junpai* » (« Pèlerinage des 88 temples de Shikoku ») et du mantra sacré « *Namu Daishi Henjo Kongo* » (« Vive le Daishi, diamant qui illumine tout »).

⑦ Le bâton : *kongozue* (金剛杖), 1 500 à 2 500 ¥

Le bâton du pèlerin, en bois, est recouvert au sommet d'une housse de tissu coloré et doré avec une clochette. Il a évidemment la fonction pratique de soulager le pas et d'aider à gravir les pentes raides des montagnes de Shikoku. Mais il a aussi une valeur symbolique : il incarne Kûkai marchant aux côtés du *henro**, comme le bourdon du pèlerin de Compostelle représente saint Jacques.

Il convient d'en prendre soin et de le traiter avec le plus grand respect : le garder propre, le poser délicatement avant même de s'asseoir, le ranger soigneusement dans une urne prévue à cet effet à l'entrée des temples lorsque l'on va prier.

À noter qu'il ne doit pas être utilisé sur un pont (*cf.* chap. 10).

Il est d'usage également de se munir des éléments suivants :

– Les étiquettes : *osamefuda* (納札), 100 ¥ pour 200 étiquettes blanches

Ces petites bandelettes de papier sur lesquelles on indique son nom, son âge, son adresse, et où l'on écrit ses vœux, sont déposées au *hondo** et au *daishido** de chaque temple. Elles sont aussi offertes en guise de remerciement et de porte-bonheur à ceux qui nous font une offrande ou nous rendent un service.

– Le carnet à calligraphies : *nôkyôchou** (納経帳), 2 000 à 3 500 ¥

Ce carnet est à faire tamponner et calligraphier au bureau du calligraphe à chaque temple, moyennant 300 ¥, à l'image de la crédenciale, passeport du pèlerin de Compostelle (300 x 88 temples = 26400 ¥).

– Des bougies blanches à allumer dans de petites verrières devant le *hondo** et le *daishido**.

– Des bâtons d'encens à allumer par trois devant le *hondo** et le *daishido** et à planter dans le sable d'une vasque prévue à cet effet.

HÉBERGEMENT

Les différentes possibilités

Il n'y a pas de dortoirs ni de gîtes comme sur le chemin de Compostelle.

Différentes possibilités d'hébergement s'offrent au pèlerin de Shikoku :

– *Ryokan** : auberges japonaises traditionnelles avec tatamis au sol, futons, bain à la japonaise, repas du soir et petit-déjeuner compris. Le repas peut être servi dans la chambre.

– *Minshuku** : version plus simple du *ryokan**, style pension de famille, mais les chambres et le bain y sont toujours de style japonais. On fait son futon soi-même et on le range le matin. Il se trouve dans un placard ou plié dans la pièce : matelas, surmatelas, drap de dessous, couette et oreiller. Le prix est parfois un peu plus bas que les *ryokan** (autour de 6000 ¥ la chambre, avec un bain et deux repas).

– *Shukubo** : hébergement dans un temple, dîner et petit-déjeuner compris, bain partagé. On peut y assister à la cérémonie du matin.

– *Zenkonyado** ou *tsuyado* : logement gratuit ou peu onéreux pour les *henro** à pied. Ils se sont raréfiés avec le temps.

– Hôtels que l'on trouve essentiellement dans les villes, généralement autour des gares, mais parfois aussi le long des grandes routes. Dîner non compris mais petit-déjeuner inclus.

– Quelques auberges d'État ou auberges de jeunesse.

– Il est toujours possible de faire du camping sauvage.

Horaires

Il convient d'arriver aux hébergements avant 17 h pour avoir le temps de prendre son bain avant le dîner, qui est en général servi à 17 h 30 ou à 18 h. À 20 h, tout le monde dort !

Prix

Le prix classique pour la nuitée et deux repas (dîner et petit-déjeuner) dans les *ryokan**, *minshuku**, *shukubo**, est compris entre 6000 et 7500 ¥.

Pour une nuit à l'hôtel, il faut compter de 6000 à 9000 ¥ sans le dîner mais avec petit-déjeuner.

À souligner qu'au Japon, dans tous les types de logements, le prix est par personne, quel que soit le nombre d'occupants de la chambre.

Réservation

Par politesse et respect des règles de la courtoisie japonaise, il est impératif de réserver la veille. Si vous ne parlez pas japonais, demandez à un *henro** ou à votre hébergeur du moment de faire la réservation pour vous.

Le bain à la japonaise

Pour le bain à la japonaise, on entre dans une première pièce où on se déshabille entièrement, en laissant ses vêtements dans des paniers ou des casiers prévus à cet effet. Puis on entre dans la salle du *o-furo**. Sur un côté, des robinets et des poires de douches sont alignés. On prend un tabouret et une cuvette et on se lave face aux robinets. Les produits d'hygiène sont à disposition.

Une fois propre et rincé, on se rend dans le bain très chaud, seul ou en commun.

Lessive

Il est possible de faire sa lessive dans la plupart des hébergements : machines à laver et sèche-linges sont à disposition.

BOISSONS ET ALIMENTATION

Ravitaillement

Se ravitailler ne pose aucun problème.

Des *konbini** (supérettes multiservices) sont nombreuses et ouvertes 24 heures sur 24, sept jours sur sept. Leurs enseignes au design coloré sont facilement reconnaissables pour des non-initiés aux *kanji** : Seven Eleven, Lawson, Family Mart, Sunkus/Circle K.

Elles sont équipées de toilettes en libre accès.

Restaurants

On trouve régulièrement des petits restaurants où il est possible de déjeuner à un prix raisonnable (entre 400 et 700 ¥).

Boisson

Les distributeurs de boissons sont nombreux à Shikoku, même dans la campagne, ce qui évite de transporter beaucoup d'eau (en moyenne 130 ¥ la boisson).

L'eau du robinet est parfaitement potable.

Budget

Compter une moyenne de 1 000 ¥ par jour entre les boissons et l'alimentation.

ARGENT

Avant de partir

À vérifier avec votre banque avant le départ :

– l'autorisation d'utiliser votre carte pour retirer de l'argent au Japon ;

– le plafond hebdomadaire de retrait à l'étranger.

Devise japonaise

La devise japonaise est le yen (¥). Au Japon, les transactions sont le plus souvent effectuées en espèces. Il est conseillé de partir avec une certaine somme en liquide et une carte de crédit. Il convient d'avoir sur soi des sommes que l'on ne transporterait pas en Europe. N'ayez crainte : le Japon est un pays très sûr où les vols sont rares.

Distributeurs de billets

À Shikoku, les distributeurs automatiques des banques refusent les cartes étrangères. En revanche, les distributeurs de billets automatiques (ATM : *Automated Teller Machine*) des bureaux de poste les acceptent. Il suffit de se laisser guider par les instructions en anglais sur l'écran. Les bureaux de poste sont nombreux à Shikoku et sont signalés sur le topoguide mentionné ci-dessous par une petite enveloppe. Ils sont généralement accessibles de 9 h à 17 h en semaine, et de 9 h à 12 h le samedi. Attention aux week-ends et jours fériés.

Travellers Cheques

Il n'est pas facile d'échanger des Travellers Cheques sur l'île de Shikoku. Il est conseillé d'effectuer cette démarche à votre arrivée, à l'aéroport international.

BUDGET

Le budget à prévoir dépend surtout du nombre de nuitées : une cinquantaine si l'on marche, une trentaine à vélo et, bien sûr, beaucoup moins si l'on réalise le pèlerinage en voiture ou en bus.

Il faut compter à peu près 8 000 ¥ par jour, sauf si vous optez pour des nuits à la belle étoile. Soit une moyenne de 400 000 ¥ (environ 3 000 €) pour 50 jours, hors billet d'avion.

Il convient de tenir compte des variations de cette somme en euros en fonction des fluctuations du cours du yen et du taux de change. En moyenne, 1 € équivaut à 130 ¥.

COMMUNICATION

La plupart des Japonais ne comprennent pas le français et ne parlent pas l'anglais. Mais soyez rassurés : la barrière de la langue ne constitue pas un obstacle majeur. Nous sommes tous capables de déployer des trésors d'ingéniosité pour communiquer ! Et les habitants de Shikoku feront tout leur possible pour essayer de vous comprendre et de vous répondre avec beaucoup de gentillesse et une infinie patience.

Il est toutefois bienvenu de se munir d'un petit guide de conversation japonais ou d'équiper votre téléphone d'un traducteur.

BIBLIOGRAPHIE

Guide

Il est indispensable pour le *henro** de se munir du seul topoguide en anglais consacré à ce pèlerinage : *Shikoku Japan 88 Route Guide*, Tateki Miyazaki, Naoyuki Matsushita, David C. Moreton, Buyodo Co. Ltd., 2013 (3e édition). En plus du tracé du chemin, y figurent, en anglais et en japonais, les numéros de téléphone des hébergements et les sites importants. Si besoin, vous pouvez ainsi demander votre chemin en montrant ce topoguide aux Japonais.

Vous pouvez vous le procurer *via* le site Internet www.shikokuhenrotrail.com (rubrique « *Books, papers & videos* », puis « *Guidebooks* »).

Récits et documents

Deux récits en français sont parus sur ce pèlerinage :

Le Pèlerinage des 88 temples, Ariane Wilson, Presses de la Renaissance, 2006.

Shikoku, les 88 temples de la sagesse, Léo Gantelet, L'Astronome, 2008.

Un livre est consacré à l'histoire du pèlerinage à l'époque Edo :

Pèlerinage et société dans le Japon des Tokugawa. Le pèlerinage de Shikoku entre 1598 et 1868, École française d'Extrême-Orient, 2001.

CONTACTS ET SITES INTERNET

Organismes

– Ambassade du Japon :
7 avenue Hoche – 75008 Paris
Tél. : 01 48 88 62 00
E-mail : info-fr@ps.mofa.go.jp
Site Internet : www.fr.emb-japan.go.jp

– Maison de la culture du Japon à Paris : 101 bis quai Branly – 75015 Paris
Tél. : 01 44 37 95 01
E-mail : contact@mcjp.asso.fr
Site Internet : www.mcjp.fr

– Office national du tourisme japonais : 4 rue de Ventadour – 75001 Paris
Tél. : 01 42 96 20 29
Site Internet : www.tourisme-japon.fr

– Association NPO (Network for Shikoku Henro Pilgrimage and Hospitality)

E-mail : info@omotenashi88.sakura.ne.jp (leur écrire en anglais)

Site Internet : www.omotenashi88.net/fr (avec une version en français)

– Organisation pour la promotion du tourisme à Shikoku

E-mail : info@shikoku.gr.jp

Site Internet : www.tourismshikoku.fr (avec une version en français)

– Shikoku District Transport Bureau (organisme gouvernemental)

Site Internet : www.mlit.go.jp/Shikoku/88navi/en/

Page Facebook : www.facebook.com/88navi

Pèlerins

Le site d'Alain Thierion, pèlerin de Shikoku, une mine d'informations en français : http://henro.free.fr

Le site de Dave Turkington, pèlerin de Shikoku, avec de nombreux renseignements pratiques en anglais :
www.shikokuhenrotrail.com

À vos sacs…
Prêts ?
Partez !

REMERCIEMENTS

Je voudrais d'abord remercier particulièrement Marguerite Kardos, dont le verbe est parole d'ange. Elle est de ceux qui savent donner des ailes. Ma plume et l'ouvrage que voici lui doivent beaucoup.

Un immense merci à toute l'équipe du Passeur Éditeur, pour son accueil chaleureux et sa confiance inconditionnelle. Poursuivre cette formidable aventure à ses côtés a une délicieuse saveur.

Merci du fond du cœur à Gaële de La Brosse d'avoir osé porter cet ouvrage avec conviction et enthousiasme, et de l'avoir accompagné avec patience et infinie bienveillance jusqu'à sa mise au monde. Mille et mille mercis pour son soutien indéfectible, ses encouragements affectueux, sa lecture experte et ses conseils avisés qui ont enchanté la merveille de l'écriture.

Je remercie chaleureusement aussi Christophe Rémond, mon cher acolyte en blagues de haute voltige, d'avoir eu l'audace de croire en ce manuscrit.

Merci à Pascaline Giboz, Estelle Drouard et Angélique Dubost pour leur compétence et leur enthousiasme conjugués, et d'avance, pour « le tour des médias en 88 interviews ».

Un grand merci à Bernard Ollivier de m'avoir fait l'honneur de préfacer « mon nouveau-né » de ses mots qui chantent et m'enchantent.

Merci à mon comité de lecture en or, particulièrement mes parents, Christiane et Charles Laval, ainsi que Stéphane Laval et Stéphanie Faguer, pour le temps qu'ils m'ont consacré et leurs remarques judicieuses.

Toute ma sincère affection à Léo Gantelet, qui a été pour moi un passeur vers ces rives inconnues du bout du monde, et à son éditeur, les Éditions de l'Astronome, qui nous a aimablement autorisés à reprendre la carte qui figure dans son ouvrage.

Mes sincères remerciements s'adressent aussi à la NPO (Network for Shikoku Henro Pilgrimage and Hospitality), association de pèlerins de Shikoku, tout particulièrement à Aya Sogawa, mon premier contact en terre nippone, à Harunori Shishido pour son amicale collaboration d'hier et d'aujourd'hui et enfin, à M. Matsuoka pour son accueil à mon arrivée et la remise en mains propres de la clé de mon paradis.

Un grand merci à Mie Ozaki pour son soutien affectueux lors de mon pèlerinage et pour nos liens qui perdurent au-delà des frontières.

Ma reconnaissance va également à l'Organisation pour la promotion du tourisme à Shikoku pour sa contribution généreuse aux annexes pratiques.

J'évoque avec gratitude fraternelle toutes celles et tous ceux dont j'ai croisé le chemin au Japon et qui m'ont ouvert leur porte, accordé du temps, apporté leur aide, témoigné leur générosité. Toi et moi, nous ne sommes qu'Un.

Merci aussi à tous ces *henro* qui m'ont précédée sur les sentiers de Shikoku et ont imprégné ces lieux de leurs énergies lumineuses.

Merci à Kûkai d'avoir veillé sur mes pas et de m'avoir guidée, jour après jour, vers l'Orient de mon âme.

Infinie gratitude à l'égard de mes parents, mes grands-parents et toute cette chaîne infinie « d'amants et d'amantes » d'avoir été des passeurs de Vie, le cadeau le plus merveilleux qui soit !

Merci également à Stéphane, Sophie, Xavier, mes frères et sœur, et Marie, ma belle-sœur, pour leurs encouragements et leur présence complice. Merci à Ambre, Timothée, Louis, Alizée et Rose, mes neveux et nièces, pour leur joie de vivre pétillante, source d'émerveillement.

Merci à mes amis d'âme et de cœur, ces êtres de lumière, que la Vie a placés sur mon chemin. La liste des prénoms serait trop longue mais je suis sûre qu'une étincelle de connivence s'allumera en eux. Merci de m'avoir soutenue par leur présence, leurs pensées ou leurs prières. Merci pour le trésor inestimable de leur amitié.

Merci également à Priscille Mas, ma précieuse collaboratrice, d'avoir géré le cabinet de main de maître durant la rédaction de ce livre.

Une pensée de gratitude à l'égard de Gilles Donada, qui a guidé mes premiers pas dans l'univers des blogs.

Merci aussi à mes patients, mes initiateurs au quotidien.

Et puis, encore et encore, merci la Vie et le miracle d'être vivante !

Table

DEUXIÈME PARTIE
LÉGÈRETÉ À LA CLÉ ?
Temples 24 à 39 – Le chemin de l'Ascèse

TROISIÈME PARTIE
LA CLÉ DE SOL
Temples 40 à 65 – Le chemin de l'Illumination, 菩提

QUATRIÈME PARTIE

LA CLÉ DU PARADIS

Temples 66 à 88 – Le chemin du Nirvana, 涅槃

CINQUIÈME PARTIE
« *ULTREIA E SUS EIA !* »
« Toujours plus loin, toujours plus haut ! »

Le Livre de Poche s'engage pour l'environnement en réduisant l'empreinte carbone de ses livres. Celle de cet exemplaire est de :
300 g éq. CO_2
Rendez-vous sur
www.livredepoche-durable.fr

Composition réalisée par PCA

Achevé d'imprimer en mai 2016, en France sur Presse Offset par
Maury Imprimeur – 45330 Malesherbes
N° d'imprimeur : 209341
Dépôt légal 1re publication : juin 2016
LIBRAIRIE GÉNÉRALE FRANÇAISE – 31, rue de Fleurus – 75278 Paris Cedex 06

27/3572/0